COLLECTION FOLIO

Au pied du sapin

Contes de Noël de Pirandello,
Andersen, Maupassant…

Gallimard

DES RÉVEILLONS INATTENDUS...

JOSEPH KESSEL

Le Réveillon du colonel Jerkof *

Serge Mikhaïlovitch Jerkof, colonel à la garde impériale, enleva son cache-poussière, baissa le rideau de fer et sortit de la librairie où, toute la journée, pour un salaire assez misérable, il ficelait des paquets de volumes.

Son pardessus était mince ; le soir était d'un froid acide. Jerkof marcha très vite.

Il atteignait bientôt le boulevard Saint-Michel et se dirigea vers la rue Tournefort, où il occupait une chambre mansardée.

Une fatigue profonde pesait sur ses membres et faisait le vide en son esprit. Elle venait de si loin qu'il la subissait sans la percevoir : des mois de luttes mortelles en Russie, des années de privations à l'étranger, les occupations mécaniques, fastidieuses et sans issue, auxquelles il était astreint, y avaient ajouté un sceau définitif.

Il allait à travers une cohue de passants sans

* Extrait de *Contes* (Folio n° 3562).

remarquer qu'elle était plus dense et désœuvrée qu'à l'ordinaire. Pour lui, ce soir-là ne différait pas des autres. Il irait, comme tous les jours, acheter quelques provisions, préparerait son dîner sur une lampe à pétrole et se coucherait, très las.

Dans l'épicerie où il se fournissait régulièrement, il eut une surprise. La pièce était pleine de chalands. Ménagères affairées, petites gens, pour qui la vie matérielle était chaque matin une équation difficile à résoudre, choisissaient des victuailles que, à l'ordinaire, leur état leur interdisait.

Le colonel se souvint qu'on était au 24 décembre, le soir du Réveillon.

Il lui sembla que son cœur s'alourdissait. La joie des autres et cet air de fête qui embellit les plus humbles visages lui rendaient tout à coup plus cruelles et comme neuves sa misère, sa tristesse, sa solitude…

Hâtivement, il fit ses achats, monta dans sa chambre. Pour la première fois, il en vit toute la pauvreté. Mais sentant obscurément que l'indifférence morne qui l'imprégnait d'habitude lui permettait, seule, de supporter la vie qu'il aimait, Serge Mikhaïlovitch se contraignit d'un rude effort à poursuivre, sans réfléchir, l'accomplissement machinal de ses gestes quotidiens.

Il arriva ainsi à préparer son bref repas et à le manger sans goût. Mais lorsque l'heure vint de se déshabiller, la force lui manqua.

Le sourd travail intérieur que sa volonté avait

réussi à masquer jusque-là portait ses fruits amers : dans cette nuit joyeuse, entouré par l'immense ville dont il semblait entendre la rumeur de plaisir, le sommeil ne viendrait point. Et la pensée d'étendre son corps sur le grabat dur et glacé pour n'y point dormir lui fut intolérable.

Il se mit à marcher à travers la chambre, tandis qu'une angoisse vacillait dans ses yeux. Des images fragmentées se bousculaient sous son front. Il ne pouvait s'attacher à aucune d'elles, mais toutes apportaient un lambeau de détresse qu'il était impuissant à vaincre.

Inconsciemment, Jerkof s'arrêta devant sa malle, l'ouvrit et, d'une enveloppe, tira deux billets de cent francs. Puis il se passa la main sur les tempes et murmura, comme réveillé :

— Je suis fou.

Un sourire douloureux crispa sa bouche. Il venait de comprendre qu'il voulait, lui aussi, quelque part, dans le bruit, la lumière et le vin, fêter le Réveillon.

Il haussa les épaules. Quel rêve enfantin ! Cet argent qui tremblait entre ses doigts était sa réserve suprême contre l'inconnu…

Longtemps le colonel resta immobile, rêvant. Et, brusquement, l'appel invincible, venu du plus profond de sa chair, qui l'avait jeté au cœur des rouges batailles, qui lui avait fait gagner et perdre des fortunes sur un coup de dés, cet instinct du risque et de l'oubli, que sa vie terne d'émigré avait pu réduire mais non pas supprimer, l'emporta.

Il chiffonna les deux billets, les glissa dans sa poche, descendit l'escalier roide, arrêta une voiture et, au chauffeur, il cria de sa voix de grand seigneur miraculeusement retrouvée :

— À Montmartre !

*

Intrigués, les soupeurs examinaient cet homme, haut de taille, qui, seul, à une table, inclinait son fier visage meurtri sur une coupe de champagne.

L'usure de ses vêtements étonnait parmi le luxe insolent, mais ses mains étaient si parfaites qu'elles anoblissaient ses manchettes élimées.

Un orchestre nègre faisait trembler les cristaux. La clarté des lustres avait l'éclat et la dureté d'un métal en fusion. Mais le tumulte et la lumière, les rires et les danses, loin de verser au colonel Serge Mikhaïlovitch cet anéantissement de la mémoire qu'il était venu chercher, lui donnaient au contraire une acuité terrible de souvenirs.

Il n'avait pas encore touché au vin doré mais, dans sa trame palpitante, les yeux de Jerkof retrouvaient tout un monde évanoui…

Une file de traîneaux, attelés de troïkas couvertes de sonnettes claires, glissaient comme une tempête heureuse sur la neige aux reflets bleus de lune. Les cochers excitaient les chevaux écumants avec des cris affectueux et farouches.

Dans la capitale entière, ce n'était que sons de cloches de Noël et bruit de chansons. La Néva royale et glacée brillait entre les perspectives de palais et d'églises. On allait aux Îles.

Déjà la griserie chauffait le sang des hommes, amollissait le regard des femmes. L'air vif et pur y mêlait une allégresse légère et pleine de fraîche volupté.

Puis, les tziganes ! Leur troupe faisait jaillir des violons et des gorges toute la joie, toute la tristesse. Les rudes mélodies, nées dans les steppes du bruissement des herbes et du murmure des eaux, animaient les romances vulgaires d'ivresse, de désespoir et d'amour.

Et le colonel Jerkof se rappela celui qui menait le chœur brutal et superbe : Mitka *la canaille*, avec ses yeux d'ébène poli, ses joues grasses et sa voix cuivrée. Mitka l'incomparable, à qui l'on jetait l'or par poignées pour qu'il exaspérât encore l'ardeur frénétique des siens.

Une colère souleva Serge Mikhaïlovitch contre sa propre naïveté. Comment avait-il pu croire que, après des réveillons pareils, il trouverait quelque plaisir à une fête mesurée ?

Pour s'étourdir, il vida d'un trait sa coupe, mais le champagne lui parut fade. Il appela le garçon, lui jeta ses deux derniers billets et se leva.

Mais un tressaillement le raidit. L'orchestre s'était tu et d'une draperie qui se levait, surgit, bariolée et sonore, une troupe bronzée aux dents éclatantes.

— Les tziganes ! murmura le colonel.

Il retomba sur sa chaise.

Les archets, comme des flammes, coururent sur les cordes chantantes, les voix riches et meurtries montèrent dans la salle enfumée.

Tout s'effaça pour Jerkof : sa famille massacrée, sa misère sans issue, les travaux mesquins, l'existence ruinée. Il ne vivait plus que dans les rythmes barbares et splendides, dans cet orage déchaîné de joie et de somptueux désespoir.

Sur un accord brusque, la mélodie mourut. Un lourd enchantement oppressa le colonel, mais une assiette pleine de billets et tendue devant lui vint l'en tirer.

Machinalement, il fouilla ses poches : elles étaient vides. Il leva des yeux confus sur le quêteur et un tremblement le secoua. Mitka ! C'était Mitka !

Les années n'avaient point entamé la ronde fermeté de sa figure, l'éclat luisant de ses yeux, ni son sourire familier et servile.

Le tzigane aussi l'avait reconnu. Ses prunelles vives coururent sur les traits émaciés de Jerkof, sur son veston fripé. Il s'inclina respectueusement et dit en russe :

— Ne vous en allez pas avant la fin Votre Excellence Serge Mikhaïlovitch. Nous fêterons la Noël comme au bon vieux temps.

*

Jusqu'à l'aube, dans un cabinet particulier, Mitka *la canaille*, en souvenir des nuits des Îles, soûla Jerkof de ses chansons préférées. Et le colonel eut contre lui, attentives à ses désirs, deux filles aux seins bruns.

GUY DE MAUPASSANT

*Nuit de Noël**

« Le Réveillon ! le Réveillon ! Ah ! mais non, je ne réveillonnerai pas ! »

Le gros Henri Templier disait cela d'une voix furieuse, comme si on lui eût proposé une infamie.

Les autres, riant, s'écrièrent : « Pourquoi te mets-tu en colère ? »

Il répondit : « Parce que le réveillon m'a joué le plus sale tour du monde, et que j'ai gardé une insurmontable horreur pour cette nuit stupide de gaieté imbécile.

— Quoi donc ?

— Quoi ? Vous voulez le savoir ? Eh bien, écoutez. »

*

* Extrait de *Mademoiselle Fifi et autres nouvelles* (Folio classique n° 945).

Vous vous rappelez comme il faisait froid, voici deux ans, à cette époque ; un froid à tuer les pauvres dans la rue. La Seine gelait ; les trottoirs glaçaient les pieds à travers les semelles des bottines ; le monde semblait sur le point de crever.

J'avais alors un gros travail en train et je refusai toute invitation pour le réveillon, préférant passer la nuit devant ma table. Je dînai seul ; puis je me mis à l'œuvre. Mais voilà que, vers dix heures, la pensée de la gaieté courant Paris, le bruit des rues qui me parvenait malgré tout, les préparatifs de souper de mes voisins, entendus à travers les cloisons, m'agitèrent. Je ne savais plus ce que je faisais ; j'écrivais des bêtises ; et je compris qu'il fallait renoncer à l'espoir de produire quelque chose de bon cette nuit-là.

Je marchai un peu à travers ma chambre. Je m'assis, je me relevai. Je subissais, certes, la mystérieuse influence de la joie du dehors, et je me résignai.

Je sonnai ma bonne et je lui dis : « Angèle, allez m'acheter de quoi souper à deux : des huîtres, un perdreau froid, des écrevisses, du jambon, des gâteaux. Montez-moi deux bouteilles de champagne ; mettez le couvert et couchez-vous. »

Elle obéit, un peu surprise. Quand tout fut prêt, j'endossai mon pardessus, et je sortis.

Une grosse question restait à résoudre : Avec qui allais-je réveillonner ? Mes amies étaient invitées partout. Pour en avoir une, il aurait fallu m'y prendre d'avance. Alors, je songeai à faire en même temps une bonne action. Je me dis : Paris est plein de pauvres et belles filles qui n'ont pas un souper sur la planche, et qui errent en quête d'un garçon généreux. Je veux être la Providence de Noël d'une de ces déshéritées.

Je vais rôder, entrer dans les lieux de plaisir, questionner, chasser, choisir à mon gré.

Et je me mis à parcourir la ville.

Certes, je rencontrai beaucoup de pauvres filles cherchant aventure, mais elles étaient laides à donner une indigestion, ou maigres à geler sur pied si elles s'étaient arrêtées.

J'ai un faible, vous le savez, j'aime les femmes nourries. Plus elles sont en chair, plus je les préfère. Une colosse me fait perdre la raison.

Soudain, en face du théâtre des Variétés, j'aperçus un profil à mon gré. Une tête, puis, par-devant, deux bosses, celle de la poitrine, fort belle, celle du dessous surprenante : un ventre d'oie grasse. J'en frissonnai, murmurant : Sacristi, la belle fille ! Un point me restait à éclaircir : le visage.

Le visage, c'est le dessert ; le reste c'est… c'est le rôti.

Je hâtai le pas, je rejoignis cette femme errante, et, sous un bec de gaz, je me retournai brusquement.

Elle était charmante, toute jeune, brune, avec de grands yeux noirs.

Je fis ma proposition, qu'elle accepta sans hésiter.

Un quart d'heure plus tard, nous étions attablés dans mon appartement.

Elle dit en entrant : « Ah ! on est bien ici. »

Et elle regarda autour d'elle avec la satisfaction visible d'avoir trouvé la table et le gîte en cette nuit glaciale. Elle était superbe, tellement jolie qu'elle m'étonnait, et grosse à ravir mon cœur pour toujours.

Elle ôta son manteau, son chapeau ; s'assit et se mit à manger ; mais elle ne paraissait pas en train ; et parfois sa figure un peu pâle tressaillait comme si elle eût souffert d'un chagrin caché.

Je lui demandai : « Tu as des embêtements ? »

Elle répondit : « Bah ! oublions tout. »

Et elle se mit à boire. Elle vidait d'un trait son verre de champagne, le remplissait et le revidait encore, sans cesse.

Bientôt un peu de rougeur lui vint aux joues ; et elle commença à rire.

Moi, je l'adorais déjà, l'embrassant à pleine bouche, découvrant qu'elle n'était ni bête, ni commune, ni grossière comme les filles du trottoir. Je lui demandai des détails sur sa vie. Elle répondit : « Mon petit, cela ne te regarde pas ! »

Hélas ! une heure plus tard…

Enfin, le moment vint de se mettre au lit, et, pendant que j'enlevais la table dressée devant le feu, elle se déshabilla vivement et se glissa sous les couvertures.

Mes voisins faisaient un vacarme affreux, riant et chantant comme des fous ; et je me disais : « J'ai eu rudement raison d'aller chercher cette belle fille ; je n'aurais jamais pu travailler. »

Un profond gémissement me fit me retourner. Je demandai : « Qu'as-tu, ma chatte ? » Elle ne répondit pas, mais elle continuait à pousser des soupirs douloureux, comme si elle eût souffert horriblement.

Je repris : « Est-ce que tu te trouves indisposée ? »

Et soudain elle jeta un cri, un cri déchirant. Je me précipitai une bougie à la main.

Son visage était décomposé par la douleur, et elle se tordait les mains, haletante, envoyant du fond de sa gorge ces sortes de gémissements sourds qui semblent des râles et qui font défaillir le cœur.

Je demandai, éperdu : « Mais qu'as-tu ? dis-moi, qu'as-tu ? »

Elle ne répondit pas et se mit à hurler.

Tout à coup les voisins se turent, écoutant ce qui se passait chez moi.

Je répétais : « Où souffres-tu, dis-moi, où souffres-tu ? »

Elle balbutia : « Oh ! mon ventre ! mon ventre ! »

D'un seul coup je relevai la couverture, et j'aperçus...

Elle accouchait, mes amis.

Alors je perdis la tête ; je me précipitai sur le mur que je heurtai à coups de poing, de toute ma force, en vociférant : « Au secours, au secours ! »

Ma porte s'ouvrit ; une foule se précipita chez moi, des hommes en habit, des femmes décolletées, des Pierrots, des Turcs, des Mousquetaires. Cette invasion m'affola tellement que je ne pouvais même plus m'expliquer.

Eux, ils avaient cru à quelque accident, à un crime peut-être, et ne comprenaient plus.

Je dis enfin : « C'est… c'est… cette… cette femme qui… qui accouche. »

Alors tout le monde l'examina, dit son avis. Un capucin surtout prétendait s'y connaître, et voulait aider la nature.

Ils étaient gris comme des ânes. Je crus qu'ils allaient la tuer ; et je me précipitai, nu-tête, dans l'escalier pour chercher un vieux médecin qui habitait dans une rue voisine.

Quand je revins avec le docteur, toute ma maison était debout ; on avait rallumé le gaz de l'escalier ; les habitants de tous les étages occupaient mon appartement ; quatre débardeurs attablés achevaient mon champagne et mes écrevisses.

À ma vue, un cri formidable éclata, et une laitière me présenta dans une serviette un affreux petit morceau de chair ridée, plissée, geignante, miaulant comme un chat ; et elle me dit : « C'est une fille. »

Le médecin examina l'accouchée, déclara douteux son état, l'accident ayant eu lieu immédiatement après un souper, et il partit en annonçant qu'il allait m'envoyer immédiatement une garde-malade et une nourrice.

Les deux femmes arrivèrent une heure après, apportant un paquet de médicaments.

Je passai la nuit dans un fauteuil, trop éperdu pour réfléchir aux suites.

Dès le matin, le médecin revint. Il trouva la malade assez mal.

Il me dit : « Votre femme, monsieur… »

Je l'interrompis : « Ce n'est pas ma femme. »

Il reprit : « Votre maîtresse, peu m'importe. » Et il énuméra les soins qu'il lui fallait, le régime, les remèdes.

Que faire ? Envoyer cette malheureuse à l'hôpital ? J'aurais passé pour un manant dans toute la maison, dans tout le quartier.

Je la gardai. Elle resta dans mon lit six semaines.

L'enfant ? Je l'envoyai chez des paysans de Poissy. Il me coûte encore cinquante francs par mois. Ayant payé dans le début, me voici forcé de payer jusqu'à ma mort.

Et, plus tard, il me croira son père.

Mais, pour comble de malheur, quand la fille a été guérie… elle m'aimait… elle m'aimait éperdument, la gueuse !

*

« Eh bien ?

— Eh bien, elle était devenue maigre comme un chat de gouttière ; et j'ai flanqué dehors cette carcasse qui me guette dans la rue, se cache pour me voir passer, m'arrête le soir quand je sors, pour me baiser la main, m'embête enfin à me rendre fou.

« Et voilà pourquoi je ne réveillonnerai plus jamais. »

ALPHONSE DAUDET

Un réveillon dans le Marais *

Conte de Noël

M. Majesté, fabricant d'eau de Seltz dans le Marais, vient de faire un petit réveillon chez des amis de la place Royale, et regagne son logis en fredonnant… Deux heures sonnent à Saint-Paul. « Comme il est tard ! » se dit le brave homme, et il se dépêche ; mais le pavé glisse, les rues sont noires, et puis dans ce diable de vieux quartier, qui date du temps où les voitures étaient rares, il y a un tas de tournants, d'encoignures, de bornes devant les portes à l'usage des cavaliers. Tout cela empêche d'aller vite, surtout quand on a déjà les jambes un peu lourdes, et les yeux embrouillés par les toasts du réveillon… Enfin M. Majesté arrive chez lui. Il s'arrête devant un grand portail orné, où brille au clair de lune un écusson, doré de neuf, d'anciennes armoiries repeintes dont il a fait sa marque de fabrique :

* Extrait de *Contes du lundi* dans *Œuvres*, I (Bibliothèque de la Pléiade).

HÔTEL CI-DEVANT DE NESMOND
Majesté jeune fabricant d'eau de Seltz

Sur tous les siphons de la fabrique, sur les bordereaux, les têtes de lettres, s'étalent ainsi et resplendissent les vieilles armes des Nesmond.

Après le portail, c'est la cour, une large cour aérée et claire, qui dans le jour en s'ouvrant fait de la lumière à toute la rue. Au fond de la cour, une grande bâtisse très ancienne, des murailles noires, brodées, ouvragées, des balcons de fer arrondis, des balcons de pierre à pilastres, d'immenses fenêtres très hautes, surmontées de frontons, de chapiteaux qui s'élèvent aux derniers étages comme autant de petits toits dans le toit, et enfin sur le faîte, au milieu des ardoises, les lucarnes des mansardes, rondes, coquettes, encadrées de guirlandes comme des miroirs. Avec cela un grand perron de pierre, rongé et verdi par la pluie, une vigne maigre qui s'accroche aux murs, aussi noire, aussi tordue que la corde qui se balance là-haut à la poulie du grenier, je ne sais quel grand air de vétusté et de tristesse… C'est l'ancien hôtel de Nesmond.

En plein jour, l'aspect de l'hôtel n'est pas le même. Les mots *Caisse, Magasin, Entrée des ateliers*, éclatent partout en or sur les vieilles murailles, les font vivre, les rajeunissent. Les camions des chemins de fer ébranlent le portail ; les commis s'avancent au perron la plume à l'oreille pour recevoir les marchandises. La cour est encombrée de caisses, de paniers, de paille, de toile d'emballage. On se sent bien dans une fabrique… Mais avec la nuit, le grand silence, cette lune d'hiver qui, dans le fouillis des toits compliqués, jette et entremêle des ombres, l'antique maison des Nesmond reprend ses allures seigneuriales. Les balcons sont en dentelle ; la cour d'honneur s'agrandit, et le vieil escalier, qu'éclairent des jours inégaux, vous a des recoins de cathédrale, avec des niches vides et des marches perdues qui ressemblent à des autels.

Cette nuit-là surtout, M. Majesté trouve à sa maison un aspect singulièrement grandiose. En traversant la cour déserte, le bruit de ses pas l'impressionne. L'escalier lui paraît immense, surtout très lourd à monter. C'est le réveillon sans doute… Arrivé au premier étage, il s'arrête pour respirer et s'approche d'une fenêtre. Ce que c'est que d'habiter une maison historique ! M. Majesté n'est pas poète, oh ! non ; et pourtant, en regardant cette belle cour aristocratique, où la lune étend une nappe de lumière bleue, ce vieux logis de grand seigneur qui a si bien l'air de dormir avec ses toits engourdis sous leur capuchon de neige, il lui vient des idées de l'autre monde :

« Hein ?… tout de même, si les Nesmond revenaient… »

À ce moment, un grand coup de sonnette retentit. Le portail s'ouvre à deux battants, si vite, si brusquement, que le réverbère s'éteint ; et pendant quelques minutes il se fait là-bas, dans l'ombre de la porte, un bruit confus de frôlements, de chuchotements. On se dispute, on se presse pour entrer. Voici des valets, beaucoup de valets, des carrosses tout en glaces miroitant au clair de lune, des chaises à porteurs balancées entre deux torches qui s'avivent au courant d'air du portail. En rien de temps, la cour est encombrée. Mais au pied du perron la confusion cesse. Des gens descendent des voitures, se saluent, entrent en causant comme s'ils connaissaient la maison. Il y a là, sur ce perron, un froissement de soie, un cliquetis d'épées. Rien que des chevelures blanches, alourdies et mates de poudre ; rien que des petites voix claires, un peu tremblantes, des petits rires sans timbre, des pas légers. Tous ces gens ont l'air d'être vieux, vieux. Ce sont des yeux effacés, des bijoux endormis, d'anciennes soies brochées, adoucies de nuances changeantes, que la lumière des torches fait briller d'un éclat doux ; et sur tout cela flotte un petit nuage de poudre, qui monte des cheveux échafaudés, roulés en boucles, à chacune de ces jolies révérences, un peu guindées par les épées et les grands paniers... Bientôt toute la maison a l'air d'être hantée. Les torches brillent de fenêtre en fenêtre, montent et descendent dans le tournoiement des escaliers, jusqu'aux lucarnes des mansardes qui ont leur étincelle de fête et de vie. Tout l'hôtel de Nesmond s'illumine, comme si un grand coup de soleil couchant avait allumé ses vitres.

« Ah ! mon Dieu ! ils vont mettre le feu !… » se dit M. Majesté. Et, revenu de sa stupeur, il tâche de secouer l'engourdissement de ses jambes et descend vite dans la cour, où les laquais viennent d'allumer un grand feu clair. M. Majesté s'approche ; il leur parle. Les laquais ne lui répondent pas, et continuent de causer tout bas entre eux, sans que la moindre vapeur s'échappe de leurs lèvres dans l'ombre glaciale de la nuit. M. Majesté n'est pas content, cependant une chose le rassure, c'est que ce grand feu qui flambe si haut et si droit est un feu singulier, une flamme sans chaleur, qui brille et ne brûle pas. Tranquillisé de ce côté, le bonhomme franchit le perron et entre dans ses magasins.

Ces magasins du rez-de-chaussée devaient faire autrefois de beaux salons de réception. Des parcelles d'or terni brillent encore à tous les angles. Des peintures mythologiques tournent au plafond, entourent les glaces, flottent au-dessus des portes dans des teintes vagues, un peu ternes, comme le souvenir des années écoulées. Malheureusement il n'y a plus de rideaux, plus de meubles. Rien que des paniers, de grandes caisses pleines de siphons à tête d'étain, et les branches desséchées d'un vieux lilas qui montent toutes noires derrière les vitres. M. Majesté, en entrant, trouve son magasin plein de lumière et de monde. Il salue, mais personne ne fait attention à lui. Les femmes aux bras de leurs cavaliers continuent à minauder cérémonieusement sous leurs pelisses de satin. On se promène, on cause, on se disperse. Vraiment tous ces vieux marquis ont l'air d'être chez eux. Devant un trumeau peint, une petite ombre s'arrête, toute tremblante : « Dire que c'est moi, et que me voilà ! » et elle regarde en souriant une Diane qui se dresse dans la boiserie — mince et rose, avec un croissant au front.

« Nesmond, viens donc voir tes armes ! » et tout le monde rit en regardant le blason des Nesmond qui s'étale sur une toile d'emballage, avec le nom de Majesté au-dessous.

« Ah ! ah ! ah !… Majesté !… Il y en a donc encore des Majestés en France ? »

Et ce sont des gaietés sans fin, de petits rires à son de flûte, des doigts en l'air, des bouches qui minaudent…

Tout à coup quelqu'un crie :

« Du champagne ! du champagne !

— Mais non !…

— Mais si !… si, c'est du champagne… Allons, comtesse, vite un petit réveillon. »

C'est de l'eau de Seltz de M. Majesté qu'ils ont prise pour du champagne. On le trouve bien un peu éventé ; mais bah ! on le boit tout de même, et comme ces pauvres petites ombres n'ont pas la tête bien solide, peu à peu cette mousse d'eau de Seltz les anime, les excite, leur donne envie de danser. Des menuets s'organisent. Quatre fins violons que Nesmond a fait venir commencent un air de Rameau, tout en triolets, menu et mélancolique dans sa vivacité. Il faut voir toutes ces jolies vieilles tourner lentement, saluer en mesure d'un air grave. Leurs atours en sont rajeunis, et aussi les gilets d'or, les habits brochés, les souliers à boucles de diamants. Les panneaux eux-mêmes semblent revivre en entendant ces anciens airs. La vieille glace, enfermée dans le mur depuis deux cents ans, les reconnaît aussi, et, tout éraflée, noircie aux angles, elle s'allume doucement et renvoie aux danseurs leur image un peu effacée, comme attendrie d'un regret. Au milieu de toutes ces élégances, M. Majesté se sent gêné. Il s'est blotti derrière une caisse et regarde…

Petit à petit cependant le jour arrive. Par les portes vitrées du magasin, on voit la cour blanchir, puis le haut des fenêtres, puis tout un côté du salon. À mesure que la lumière vient, les figures s'effacent, se confondent. Bientôt M. Majesté ne voit plus que deux petits violons attardés dans un coin et que le jour évapore en les touchant. Dans la cour, il aperçoit encore, mais si vague, la forme d'une chaise à porteurs, une tête poudrée semée d'émeraudes, les dernières étincelles d'une torche que les laquais ont jetée sur le pavé, et qui se mêlent avec le feu des roues d'une voiture de roulage entrant à grand bruit par le portail ouvert…

HANS CHRISTIAN ANDERSEN

La Petite Fille aux allumettes *

Il faisait atrocement froid. Il neigeait, l'obscurité du soir venait. Il faut dire que c'était le dernier soir de l'année, la veille du Jour de l'An. Par ce froid, dans cette obscurité, une pauvre petite fille marchait dans la rue, tête nue, pieds nus. C'est-à-dire : elle avait bien mis des pantoufles en partant de chez elle, mais à quoi bon ! C'étaient des pantoufles très grandes, sa mère les portait dernièrement, tellement elles étaient grandes, et la petite les perdit quand elle se dépêcha de traverser la rue au moment où deux voitures passaient affreusement vite. Il n'y eut pas moyen de retrouver l'une des pantoufles, et l'autre, un gamin l'emporta : il disait qu'il pourrait en faire un berceau quand il aurait des enfants.

Et donc, la petite fille marchait, ses petits pieds nus tout rouges et bleus de froid. Dans un vieux tablier, elle tenait une quantité d'allumettes et elle en avait un paquet à la main. Personne, de toute la

* Extrait de *Contes* (Folio classique n° 2599).

journée, ne lui en avait acheté. Personne ne lui avait donné le moindre skilling. Affamée, gelée, l'air lamentable, elle marchait, la pauvre petite ! Les flocons de neige tombaient sur ses longs cheveux blonds si joliment bouclés sur la nuque, mais assurément, elle ne pensait pas à cette parure. À toutes les fenêtres brillaient les lumières et cela sentait si bon l'oie rôtie dans la rue. C'était la veille du Jour de l'An, n'est-ce pas, et elle y pensait, oh oui !

Dans un coin, entre deux maisons dont l'une faisait un peu saillie, elle s'assit et se recroquevilla. Elle avait replié ses petites jambes sous elle, mais elle avait encore plus froid, et chez elle, elle n'osait pas aller, car elle n'avait pas vendu d'allumettes, pas reçu un seul skilling, son père la battrait et il faisait froid à la maison aussi, ils n'avaient que le toit au-dessus d'eux, le vent pénétrait en sifflant, bien qu'on eût bouché les plus grandes crevasses avec de la paille et des chiffons. Ses petites mains étaient presque mortes de froid. Oh ! qu'une petite allumette pourrait faire du bien ! Si seulement elle osait en tirer une du paquet, la frotter contre le mur, se réchauffer les doigts ! Elle en tira une : ritsch ! comme le feu jaillit, comme elle brûla ! Ce fut une flamme chaude et claire, comme une petite chandelle qu'elle entoura de sa main. C'était une étrange lumière ! La petite fille eut l'impression d'être assise devant un grand poêle de fer aux boules et au tuyau de laiton étincelants. Le feu brûlait délicieusement, chauffait si bien ! Mais qu'est-ce qui se passe… ! la petite étendait déjà les pieds pour les réchauffer aussi… la flamme s'éteignit, le poêle disparut… elle restait, tenant à la main un petit bout de l'allumette brûlée.

Elle en frotta une autre, qui brûla, qui éclaira, et là où la lueur tomba sur le mur, celui-ci devint transparent comme un voile. Elle voyait à l'intérieur d'une salle où la table était mise, couverte d'une nappe d'un blanc éclatant, de fine porcelaine, et l'oie rôtie, farcie de pruneaux et de pommes, exhalait un fumet délicieux ! Et, chose plus magnifique encore, l'oie sauta du plat, s'en vint, se dandinant, sur le plancher, une fourchette et un couteau dans le dos : elle alla jusqu'à la pauvre fille. Alors, l'allumette s'éteignit et il n'y eut plus que le gros mur glacé.

Elle en alluma encore une. Alors, elle se trouva sous le plus splendide arbre de Noël : il était encore plus grand et plus décoré que celui qu'elle avait vu, par la porte vitrée, ce Noël-là, chez le riche marchand. Mille bougies brûlaient sur les branches vertes et des images bariolées comme celles qui décorent les devantures des boutiques baissaient le regard sur elle. La petite tendit les deux mains… et l'allumette s'éteignit. Les nombreuses bougies de Noël montaient de plus en plus haut, elle vit que c'étaient maintenant les claires étoiles, l'une d'elles tomba en traçant une longue raie de feu dans le ciel.

« Voilà quelqu'un qui meurt ! » dit la petite, car sa vieille grand-mère, la seule personne qui eût été bonne pour elle mais qui était morte maintenant, avait dit : « Quand une étoile tombe, c'est qu'une âme monte vers Dieu. »

De nouveau, elle frotta une allumette contre le mur : elle éclaira à la ronde et dans cette lueur, il y avait la vieille grand-mère, bien claire, toute brillante, douce et bénie.

« Grand-mère, cria la petite, oh ! emmène-moi ! je sais que tu disparaîtras quand l'allumette s'éteindra. Disparaîtras, comme le poêle bien chaud, la délicieuse oie rôtie et le grand arbre de Noël béni... ! » et elle frotta très vite tout le reste des allumettes du paquet, elle tenait à garder sa grand-mère. Et les allumettes brillèrent d'un tel éclat qu'il faisait plus clair qu'en plein jour. Jamais la grand-mère n'avait été si belle, si grande. Elle prit la petite fille sur son bras et elles s'envolèrent dans cette splendeur et cette joie, bien haut, bien haut, là où il n'y avait pas de froid, pas de faim, pas d'angoisse... elles étaient auprès de Dieu.

Et dans le recoin de la maison, à l'heure du matin glacé, la petite fille était assise, les joues rouges, un sourire à la bouche..., morte, morte de froid le dernier soir de l'année. Le matin du Nouvel An se leva sur le petit cadavre, assis avec ses allumettes dont un paquet était presque entièrement brûlé. « Elle a voulu se réchauffer ! » dit quelqu'un. Personne ne sut les belles choses qu'elle avait vues, dans quelle splendeur elle et sa grand-mère étaient entrées dans la joie de la Nouvelle Année !

DES NOËLS DE RÊVE...

THÉOPHILE GAUTIER

Noël *

Le ciel est noir, la terre est blanche ;
— Cloches, carillonnez gaîment ! —
Jésus est né ; — la Vierge penche
Sur lui son visage charmant.

Pas de courtines festonnées
Pour préserver l'enfant du froid ;
Rien que les toiles d'araignées
Qui pendent des poutres du toit.

Il tremble sur la paille fraîche,
Ce cher petit enfant Jésus,
Et pour l'échauffer dans sa crèche
L'âne et le bœuf soufflent dessus.

La neige au chaume coud ses franges,
Mais sur le toit s'ouvre le ciel
Et, tout en blanc, le chœur des anges
Chante aux bergers : « Noël ! Noël ! »

* Extrait d'*Émaux et camées* (Poésie/Gallimard).

JEAN GIONO

Les santons *

Nous avons tous fait des crèches ; puis nos enfants en ont fait à leur tour. Alors, si nous observons, nous voyons que c'est plus qu'un magnifique jeu d'hiver : c'est un moyen d'expression. Au fond nous sommes toujours à l'époque des cavernes : il nous faut dessiner sur les parois.

Il n'y a pas que les santons. Il y a la composition du paysage. Ce n'est jamais un paysage de Judée. C'est toujours celui qui nous est familier ; le Marseillais y représente Marseille ; le Manosquin, Manosque ; le Parisien, Paris. Ainsi donc, d'après nous, le fils de dieu est né dans les rochers d'Allauch, la colline du Mont d'Or ou le bois de Boulogne. Cela le rend fameusement proche. Plus encore, Allauch, le Mont d'Or, le bois de Boulogne (ou la forêt de Fontainebleau, ou cette transparente forêt de bouleaux nus, près d'un étang glacé, dans laquelle Breughel place son *Massacre des Innocents*)

* Extrait de *Provence* (Folio n° 2721).

sont installés sur le dessus de la commode familière, sur une étagère de crédence, sur le buffet débarrassé de ses bibelots. S'il y eut jamais façon d'accommoder les légendes au pot-au-feu, de mesurer en même temps que de s'approprier, la voilà. Tous les objets ménagers y concourent. De mon temps, les collines que je représentais en papier gris étaient faites d'un substratum de volumes d'Eugène Sue, d'Alexandre Dumas et d'un exemplaire des poésies de Malherbe. (Il n'a jamais servi qu'à ça. Je me demande pourquoi mon père gardait ce livre sur son établi de cordonnier.)

L'année dernière, mes filles ont fait entrer le plateau de Valensole dans Bethléem parce qu'elles disposaient des gros volumes d'un Bescherelle. Elles avaient aussi adopté pour le sol ces grandes feuilles de papier buvard vert qui me servent de sous-main, si bien que nous étions en plein printemps, à l'époque où le blé vert fait tapis anglais sous les amandiers. Moi, de mon temps, je faisais les rivières avec du papier de chocolat. Rivières bien différentes de notre Durance (la seule qu'il m'avait été donné de voir, à cet âge), car la création (et peut-être même celle de Dieu) se fait toujours par rapport à la réalité, donc parfois contre. Mais, papier de chocolat, attention ! C'étaient de vraies feuilles d'étain, si vraies, si lourdes et si épaisses que ma mère les gardait précieusement, les roulait en boule, et quand la boule était assez grosse en faisait rétamer les cuillers et fourchettes. Ce papier de chocolat, artistiquement pendu dans les anfractuosités des volumes d'Eugène Sue recouverts de papier gris, donnait de somptueuses cascades vernissées, grasses, de quoi faire rêver tous les hydrauliciens de l'E.D.F. Le papier de chocolat actuel ne donne qu'une eau maigre, sans reflet et dont on se demande en fin de compte si elle est potable, si elle n'est pas souillée de naphte, ou de sel. Je disais à mes filles qu'à mon avis elle faisait plus Judée que mes anciennes cascades norvégiennes. Elles m'ont répondu que la Judée était le dernier de leurs soucis et qu'elles désiraient (étaient à la recherche d') une nature capable de représenter l'eau profonde, l'eau bleue, l'eau des Danubes et peut-être même l'eau sans rive des Amazones dont tous les esprits provençaux sont hantés.

Nous voilà loin des lieux saints, de l'histoire sainte. Mais, il est bon de voir que rien ne se fait sans le rêve et le désir ; même pas le « Divin Enfant ».

Quant aux santons proprement dits, à la façon dont ils sont placés dans le paysage, on découvre le secret des cœurs. J'ai été pendant toute mon enfance entouré de dames et de demoiselles fort dévotes. Toutes, naturellement, composaient des crèches. Autour de l'étable proprement dite (toujours ornée d'étoiles, et même de comètes à longues queues), elles disposaient leur paysannerie d'argile. Devant l'étable, les rois mages, bien entendu, puis, sur les chemins, les collines, dans les vallons, sur les ponts, dans les prairies, sous les arbres, le peuple en marche. Peuple chargé de présents, portant des paquets de morue sèche (drôle de cadeau pour une accouchée d'Asie Mineure !), des pains de sucre, des rouleaux de dentelles et même des couteaux aiguisés. Ce n'est pas l'essentiel. Où je le vois, c'est dans la dispersion de ce peuple à travers le paysage. Certaines de ces dames et demoiselles dévotes qui disposaient de cent et même de deux cents sujets composaient des crèches où finalement la pauvre petite étable était bien seule dans ses étoiles et ses comètes. Tout le reste de la population était à bayer aux corneilles par les chemins. En direction — oh bien sûr ! — en direction de l'étable, mais en train de muser, musarder et même de ruser, en train de vivre, quoi ! en train de vivre égoïstement pour soi-même.

Or, je vis (j'avais quatre ans et le spectacle me bouleversa au point que par la suite je l'imitai) la crèche qu'avait faite un soir sinistre de décembre 1899 une pauvre fille assez mal estimée dans le quartier (et même très décriée, chez laquelle on m'avait défendu d'aller — et où je courais quand même sur mes petits pieds parce qu'elle était jolie, triste et parfumée de poudre de riz à la vanille). Cette pauvre fille (dont on disait qu'elle avait mauvaise vie) n'avait pu s'acheter qu'une vingtaine de santons en plus des personnages divins et des rois. Elle n'avait pas pu, ou pas eu le temps, ou pas eu la présence d'esprit, de composer le paysage. Sur la table nue de la cuisine, à même les carreaux (et les trous) de la toile cirée, elle avait posé l'Enfant, sans étoiles ni comètes, et, tout autour, bien serrés contre, dans la même misère (qui paraissait sans recours), rois et peuples mélangés.

(1953)

LUIGI PIRANDELLO

Noël sur le Rhin *

Rome, fin 1914

— Maman, cria Jenny en entrant exultante dans ma chambre et en battant des mains, maman à cause de toi a donné son consentement.

Je me tournai pour la regarder d'un air étonné au coin du feu où j'étais depuis environ une heure tout recroquevillé sur moi-même par le froid, les mains et les pieds à la bonne chaleur de la cheminée et l'âme… oh l'âme qui sait où elle s'en va à de certains moments comme si, sans vie, les sens l'avaient rendue étrangère tandis que les yeux semblent regarder et pourtant ne voient pas ?

— Hou ! reprit vivement Jenny comme frigorifiée par mon froid. Tu me fais l'effet d'un vieillard. Qu'est-ce que ce serait si la neige t'était vraiment tombée sur le crâne !

Et ce disant elle m'ébouriffait les cheveux.

* Extrait de *Nouvelles complètes* (Quarto).

Je pris et retins longuement entre les miennes ses deux belles mains.

— Je te les réchauffe, attends ! À quoi maman a-t-elle donné son consentement ?

— À fêter Noël, s'écria Jenny, retrouvant sa vivacité, celle avec laquelle elle était entrée dans la chambre, et dissimulant ainsi la confusion qu'elle éprouvait à se sentir serrer les mains entre les miennes. Nous achèterons un beau petit arbre haut… haut… laisse-moi dire comment…

— Comment ? lui demandai-je en souriant, lui tenant les deux mains toujours plus serrées.

Mais elle en dégagea une et dit vivement :

— Haut comme ça !

— Ah très bien ! Ce sera joli…

— Ce que tu es méchant… On ne plaisante pas, tu sais, sur de certains sujets… laisse-moi cette autre main… À quoi pensais-tu ?

Je fermai les yeux et haussai les épaules, poussant un long soupir.

Le vent sifflait dans le conduit brûlant de la cheminée ou est-ce moi qui entendais vraiment loin, très loin le son cadencé, lent et nasal d'une musette ? Ce son venait-il des paroles trempées de larmes que j'avais en moi et qui certainement, à cause du nœud qui me serrait la gorge, avant de trouver le chemin des lèvres, trouveraient celui des yeux ? Était-elle gonflée, cette lointaine musette, des profonds soupirs de mon intense mélancolie ? Et ce feu devant moi n'était-il pas la flambée de gerbes d'avoine chère à notre communauté devant un rustique petit autel sur une place de ma très lointaine ville natale, pendant les dures soirées de la pieuse neuvaine ? Le triangle tintait ? La musette loin, très loin jouait-elle vraiment ?

De même que parfois, voire souvent, nous en arrivons dans notre société à avoir honte de la dignité de notre âme, de même une certaine pudeur — fausse pudeur — nous interdit de révéler, fût-ce à une personne choisie et notre intime, certains sentiments qui, nous paraissant trop exquis et presque puérils par leur délicate innocence, pourraient être, nous en avons le soupçon, tournés en dérision ou, dans la meilleure hypothèse, non appréciés à leur juste valeur, étant nés en nous d'états psychologiques très particuliers. C'est pourquoi je ne révélai pas à Jenny ce qui occupait ma pensée.

— Ce vent m'oppresse, dis-je au contraire. Je ne peux plus l'entendre… Comme ça la journée entière à se lamenter dans ma chambre par le conduit de la cheminée… Ensuite le soir, tu comprends, dans le silence, la solitude, cela devient proprement intolérable…

— J'ai compris, fit alors Jenny en prenant un siège. Me voici près de toi, vilain grognon ! Vite, vite une autre bûche pour moi dans la cheminée ! Attends, je la prends moi-même ! tu es tout emmitouflé… Voilà qui est fait. Donc maman a donné son consentement, tu as compris ? Et c'est à cause de toi qu'elle l'a donné. Il y a deux ans, je te l'ai dit, qu'on ne fête plus Noël chez nous. Cette année nous voulons en être dédommagés : ce que les petites vont être contentes, tu te figures !

Les trois fillettes auxquelles Jenny faisait allusion étaient ses sœurs utérines. Si Noël n'était plus fêté depuis deux ans chez les L***, c'était en signe de deuil après la mort violente du second mari de madame Alvina, la mère de Jenny. Ayant mené une vie des plus désordonnées, monsieur Fritz L*** s'était tué d'une balle de revolver dans la tempe à Neuwied, sur la rive droite du Rhin. Jenny m'avait raconté plusieurs fois les cruels détails de ce suicide suivi d'une série d'*horribles* scènes de famille et m'avait décrit avec tant de vérité la personne et les manières de son beau-père qu'il me semblait presque l'avoir connu. J'avais lu sa dernière lettre à sa femme, écrite à Neuwied où il s'était rendu pour accomplir son effroyable projet et je ne me souvenais pas avoir jamais lu de plus belles et de plus sincères paroles d'adieu et de repentir. Neuwied a la réputation d'être le lieu d'où l'on jouit mieux que de partout ailleurs dans la région rhénane du lever du soleil. « J'ai tout vu et tout éprouvé, écrivait le mari à sa femme, sauf une seule chose : en quarante ans de vie je n'ai jamais assisté à la naissance du jour. De la rive j'assisterai demain à ce spectacle qu'une nuit très sereine me promet d'un charme extraordinaire. Je verrai naître le soleil et sous le baiser de son premier rayon je mettrai un terme à ma vie. »

— Demain nous achèterons l'arbre… continua Jenny. Le caisson existe, il est en haut dans la mansarde et il doit y avoir dedans les petites ampoules de couleurs, les guirlandes multicolores comme il les a laissées la dernière fois. Car tu sais, l'arbre, c'était lui qui le décorait en secret chaque veille de Noël dans la salle du bas à côté de la salle à manger, et comme il savait bien y faire pour ses petites filles ! Il devenait bon une seule fois dans l'année, les soirs comme celui-ci.

Troublée par les souvenirs, Jenny voulut cacher son visage en appuyant son front contre l'accoudoir de mon fauteuil et certainement qu'en silence, elle priait.

— Chère Jenny, dis-je attendri, en posant une main sur sa tête blonde.

Quand elle eut cessé de prier, elle avait les yeux pleins de larmes et se rasseyant près de moi elle me dit :

— Nous devenons tous bons avec l'approche de la Sainte Nuit et nous pardonnons ! Moi aussi je deviens bonne bien que je me déclare toujours incapable de lui pardonner l'état auquel il nous a réduits… N'en parlons plus. Donc demain, écoute : j'irai d'abord chez Frau R*** ici tout près prendre du sable de son jardin plein mon tablier, nous en remplirons le caisson et y planterons le sapin qu'on nous apportera demain matin tôt, avant le lever des petites. Elles ne doivent s'apercevoir de rien. Puis nous sortirons ensemble acheter les bonbons et les cadeaux à suspendre aux branches, les pommes et les noix. Les fleurs, Frau R*** nous en donnera de sa serre… Tu verras, tu verras comme notre arbre sera beau… Tu es content ?

Je hochai plusieurs fois la tête en signe d'acquiescement et Jenny sauta sur ses pieds.

— Laisse-moi m'en aller maintenant… À demain ! Sinon ton voisin va penser de vilaines choses sur mon compte. Il est là, tu sais, dans sa chambre et il aura certainement entendu que je suis entrée chez toi…

— Sera-t-il aussi de la fête ? demandai-je, contrarié.

— Oh non ! Il ira faire la noce, tu verras, avec ses dignes acolytes. Au revoir, à demain.

Jenny s'enfuit sur la pointe des pieds, refermant tout doucement la porte. Et je retombai au pouvoir de mes tristes pensées jusqu'à ce que les intolérables lamentations du vent me chassent du coin du feu. Je m'approchai de la fenêtre et essuyant du doigt la vitre embuée, je me mis à regarder dehors : il neigeait, il neigeait encore à tourbillons.

Ce regard jeté dehors à travers la trace brillante au milieu de la buée me remit soudain en mémoire un souvenir de mes premières années, lorsque petit garçon crédule, la veille de Noël, non comblé par le spectacle de la grande crèche illuminée dans la chambre, je regardais dehors de la même façon, épiant si dans le ciel plein de mystère apparaissait vraiment l'étoile messagère contée par la légende…

Nous achetâmes le lendemain l'arbre sacré à la fête et montâmes dans la mansarde voir quels ornements restés là-haut pouvaient encore servir avant de sortir en acheter d'autres.

Le vieux petit sapin de trois ans en arrière était dans un coin sombre, tout desséché comme un squelette.

— Voilà, dit Jenny, c'est le dernier arbre qu'il ait décoré. Laissons-le là où il l'a laissé, en sorte qu'il n'aura pas tout à fait le sort du petit sapin de Hans Christian Andersen, qui a fini coupé en petits morceaux sous un chaudron. Voici le caisson. Tu vois, il est plein. Espérons que l'humidité n'a pas ôté couleurs et brillant aux boules de verre, aux ampoules.

Tout était en bon état.

Plus tard, nous sortîmes Jenny et moi pour acheter jouets et bonbons.

Je me demande, allais-je pensant, jusqu'à quel point le froid intense, le brouillard, la neige, le vent, la désolation de la nature contribuent dans ces pays-ci à rendre la fête de Noël plus recueillie et profonde, plus suavement mélancolique, poétique et religieuse que chez nous.

Le soir, à peine les fillettes étaient-elles au lit qu'ayant débarrassé la pièce à côté de la salle à manger, nous fîmes descendre, Jenny et moi, le caisson par la domestique. Nous le plaçâmes dans un angle et nous le remplîmes de sable autour du tronc de l'arbre.

Nous en eûmes jusque tard dans la nuit à préparer le sapin qui avait l'air fort satisfait de tous ces ornements et qui s'offrait avec reconnaissance à nos tendres soins, allongeant ses branches pour soutenir les colliers de papier doré et argenté, les guirlandes, les boules, les ampoules, les petites corbeilles de bonbons, les jouets, les noix.

— Non, pas les noix, pensait peut-être le petit sapin. Ces noix ne m'appartiennent pas : ce sont les fruits d'un autre arbre.

Innocent petit sapin ! Ne sais-tu pas qu'il s'agit là de notre art le plus répandu : nous rendre plus beaux avec ce qui ne nous appartient pas et que nous n'avons trop souvent pas scrupule à nous approprier le fruit des sueurs d'autrui...

— Attends, l'étoile ! s'écria Jenny quand l'arbre fut tout prêt. Nous allions oublier l'étoile !

Je fixai au sommet de l'arbre en m'aidant de l'escabeau une étoile de carton doré.

Nous restâmes longtemps en admiration devant notre œuvre puis nous donnâmes un tour de clef à la porte pour que personne ne voie l'arbre paré avant le lendemain soir et nous allâmes nous coucher en nous promettant pour le lendemain en récompense du froid subi, de la veille et de nos peines les louanges de la mère et la joie des enfants.

Au lieu de cela... Oh non, non, pour Jenny qui avait tant travaillé, pour ces deux pauvres petites filles cette bonne madame Alvina n'aurait pas dû se mettre à pleurer, comme elle fit, le lendemain soir, à la vue du splendide arbre illuminé sur son tapis de fleurs.

Tout s'était si bien passé jusqu'au dernier service, le réveillon de la veille de Noël avec sa tarte aux prunes et l'oie farcie aux marrons. Puis les fillettes s'étaient mises derrière la porte de la chambre où se dressait l'arbre, et leurs mignonnes mains glacées jointes en un geste de prière, elles avaient entonné le chœur très doux et mélancolique :

Stille Nacht, heilige Nacht...

Je n'oublierai jamais cet arbre de Noël que j'avais décoré pour les autres plus que pour moi et cette fête se terminant dans les larmes ; et jamais, jamais ne s'effacera de ma vue le groupe de ces trois petites orphelines accrochées à la robe de leur mère et implorant — papa ! papa ! — tandis que l'arbre sacré chargé de jouets illuminait d'une clarté mystérieuse cette chambre semée de fleurs.

FÉDOR DOSTOÏEVSKI

Un arbre de Noël et un mariage *

Notes d'un anonyme

J'ai vu ces jours-ci un mariage... mais non ! Je vais plutôt vous raconter une histoire d'arbre de Noël. Le mariage était beau, il m'a beaucoup plu, mais l'autre histoire est meilleure. Je ne sais pas ce qui, en regardant cette noce, m'a rappelé ce sapin de Noël. Voici comment cela s'est passé.

Il y a juste cinq ans, pour la veille du Nouvel An, j'avais été invité à un bal d'enfants. L'invitant était un personnage connu dans les affaires, nanti de relations, de connaissances, d'intrigues, en sorte qu'il y avait lieu de penser que le bal d'enfants en question était pour les parents un prétexte à petits comités et conciliabules innocents, fortuits, impromptus sur telle ou telle intéressante matière. Moi, j'étais un profane, je n'avais pas de matières à discuter, aussi passai-je la soirée de façon assez indépendante. Il y avait là encore un monsieur qui semblait n'avoir lui non plus ni attaches ni parenté,

* Extrait de *Récits, chroniques et polémiques* (Bibliothèque de la Pléiade).

mais qui, comme moi, s'était trouvé là pour la fête de famille… C'est lui qui me sauta d'abord aux yeux. C'était un homme grand, maigre, fort sérieux, fort convenablement vêtu. Mais il était visible qu'il n'éprouvait pas le moindre intérêt pour les joies de cette fête familiale ; quand il se retirait dans un angle, son sourire s'éteignait aussitôt et il fronçait ses épais sourcils noirs. Il ne connaissait pas une âme, dans tout ce bal, hormis le maître de maison. Il était manifeste qu'il s'ennuyait à mort, mais qu'il tenait bravement, jusqu'au bout, le rôle d'invité parfaitement heureux et diverti. Je devais apprendre ensuite que c'était un monsieur de province, qui avait je ne sais quelle affaire très importante et très compliquée dans la capitale, qui avait apporté à notre hôte une lettre de recommandation, auquel notre hôte ne donnait nullement sa protection *con amore* et qu'il n'avait invité à ce bal d'enfants que par politesse. On ne jouait pas aux cartes, on ne lui offrait pas de cigare, personne n'entrait en conversation avec lui — sans doute reconnaissant de loin l'oiseau à son plumage — en sorte que le monsieur en question en était réduit, pour savoir que faire de ses mains, à caresser toute la soirée ses favoris. Favoris qui étaient effectivement fort beaux. Mais il les caressait avec une telle application qu'à le regarder on pouvait véritablement penser que les favoris avaient été tout d'abord mis au monde avant qu'y fût annexé un monsieur pour les caresser.

Outre ce personnage, qui avait cette manière à lui de prendre part au bonheur familial du maître de maison, lequel avait cinq petits garçons florissants, il y avait encore un monsieur qui me plut. Mais celui-ci était d'une tout autre qualité. C'était une personnalité. On l'appelait Julien Mastakovitch. Il sautait aux yeux au premier regard qu'il était ici l'invité d'honneur, et qu'il était avec le maître de céans dans le même rapport que celui-ci avec le monsieur qui caressait ses favoris. Le maître et la maîtresse de maison le comblaient d'amabilités, s'empressaient autour de lui, lui offraient à boire, le flattaient, lui amenaient leurs invités pour les lui présenter, et ne le présentaient lui-même à personne. Je vis s'embuer les yeux du maître de maison quand Julien Mastakovitch exprima sur cette soirée l'opinion qu'il avait rarement passé le temps de manière aussi agréable. Quant à moi, je fus en quelque sorte pris de peur en présence d'un si haut personnage, et c'est pourquoi, après m'être amusé au spectacle des enfants, je m'en allai dans un petit salon qui était désert, et je m'y assis dans le boudoir fleuri de l'hôtesse, qui occupait près de la moitié de la pièce.

Les enfants étaient tous incroyablement mignons et se refusaient résolument à ressembler aux *grandes personnes*, en dépit de toutes objurgations des gouvernantes et des mamans. Ils avaient en un clin d'œil dégarni le sapin de Noël jusqu'au dernier bonbon, et déjà trouvé moyen de démolir la moitié des jouets avant même de savoir à qui d'entre eux chacun était destiné. J'aimai particulièrement un petit garçon aux yeux noirs, tout bouclé, qui voulait absolument me fusiller avec son fusil de bois. Mais celle qui attirait le plus l'attention, c'était sa sœur, une fillette de quelque onze ans, ravissante comme un amour, silencieuse, pensive, pâlote, avec de grands yeux songeurs largement ouverts. Les enfants avaient dû lui faire quelque offense, et elle s'était retirée dans le même petit salon où je me trouvais déjà ; elle s'occupait dans un coin, avec sa poupée. Les invités se désignaient avec respect un riche concessionnaire, le père de la fillette, et se disaient à l'oreille qu'il avait déjà mis de côté pour sa dot trois cent mille roubles. Je m'étais retourné pour regarder ceux que cette circonstance intéressait tellement, et mon regard était tombé sur Julien Mastakovitch qui, les mains derrière le dos et la tête légèrement inclinée de côté, paraissait prêter une extraordinaire attention au bavardage de ces messieurs.

Ensuite je n'avais pu m'empêcher d'admirer la sagesse des maîtres de céans dans la distribution des cadeaux aux enfants. La fillette qui avait d'avance trois cent mille roubles de dot avait reçu une splendide poupée. Venaient ensuite des cadeaux dont la valeur allait diminuant à mesure que baissait le rang des parents de tous ces heureux enfants. À la fin, le dernier enfant, un garçonnet d'une dizaine d'années, maigrichon, tout petit, roux, tout en taches de rousseur, avait reçu en tout et pour tout un livre de contes où il était parlé de la majesté de la nature, de larmes attendries et ainsi de suite, sans illustrations, sans même le moindre cul-de-lampe. C'était le fils de la gouvernante des enfants de céans — une veuve sans fortune — un garçonnet on ne peut plus effacé et effarouché. Il portait une blouse de modeste nankin. Ayant reçu son livre, il avait longuement tourné autour des autres jouets ; il avait terriblement envie de jouer avec les autres, mais n'osait pas ; il était visible qu'il sentait et comprenait déjà sa position. J'aime beaucoup observer les enfants. C'est une chose extrêmement curieuse que leur première manifestation indépendante dans la vie. J'avais remarqué que le garçonnet roux était à ce point séduit par les riches jouets des autres enfants, surtout par le théâtre, où il avait une folle envie d'assumer quelque rôle, qu'il avait pris le parti de faire quelques bassesses. Il souriait et faisait des avances aux autres, il fit cadeau de sa pomme à un gros garçon bouffi déjà pourvu d'une pleine pochette de friandises, et il alla jusqu'à en porter un autre sur son dos, uniquement pour ne pas être tenu à l'écart du théâtre. Mais un peu plus tard un polisson le rossa vigoureusement. Le garçonnet n'osa pas pleurer. À ce moment apparut sa mère, la gouvernante, et elle lui défendit de gêner les jeux des autres enfants. Le bambin entra dans le petit salon où était la fillette. Celle-ci le laissa venir à elle, et tous deux se mirent avec beaucoup d'application à arranger la riche poupée.

Il pouvait y avoir une demi-heure que j'étais assis sur le canapé du boudoir, et je sommeillais presque en écoutant le petit babillage du garçonnet roux et de la jeune beauté aux trois cent mille roubles de dot, tout occupés à leur poupée, quand entra dans la pièce Julien Mastakovitch. Il avait profité du petit scandale d'une dispute d'enfants pour quitter tout doucement le grand salon. Je l'avais aperçu, une minute plus tôt, discutant avec beaucoup d'animation avec le papa de la future riche épousée, de qui il venait tout juste de faire la connaissance, sur la supériorité de je ne sais quelle fonction publique par rapport à une autre. Il était maintenant plongé dans ses pensées et paraissait compter quelque chose sur ses doigts.

« Trois cents… trois cents, murmurait-il. Onze… douze… treize… quatorze… quinze… seize… cinq ans ! Mettons à quatre pour cent, ça fait douze mille, cinq fois nous disons soixante, plus sur ces soixante mille… mettons au total, dans cinq ans, quatre cent mille. Oui, c'est ça… Et ce n'est sûrement pas du quatre pour cent, avec lui, le filou ! Peut-être bien du huit ou du dix pour cent. Bon, cinq cents, mettons cinq cent mille sûrement, pour le moins ; bon, un petit supplément pour le trousseau, hum… »

Il sortit de ses réflexions, se moucha et allait déjà quitter la pièce, quand il vit soudain la fillette et s'arrêta. Il ne me voyait pas derrière les pots de plantes vertes. Il me parut extrêmement agité. Est-ce son calcul qui l'avait impressionné, ou bien était-ce quelque chose d'autre, il se frottait les mains et ne tenait pas en place. Ce trouble grandit jusqu'au *nec plus ultra* quand, s'étant arrêté, il jeta sur la future fiancée un second regard qui disait sa décision. Il fut pour s'avancer vers elle, mais regarda d'abord autour de lui. Puis, sur la pointe des pieds, comme se sentant en faute, il s'approcha de l'enfant. Il souriait, se pencha et lui mit un baiser sur la tête. La petite, surprise de cet assaut, poussa un cri d'effroi.

« Et que faites-vous là, mignonne enfant ? demanda-t-il tout bas, toujours regardant tout autour et tapotant la joue de la fillette.

— On joue…

— Ah ? Avec lui ? » Julien Mastakovitch loucha sur le garçonnet. « Toi, mon petit, tu devrais aller au salon », lui dit-il.

Le petit garçon ne disait mot et le regardait de tous ses yeux. Julien Mastakovitch eut encore un regard circulaire et de nouveau se pencha vers la fillette.

« Et qu'est-ce que vous avez là, une poupée, ma mignonne ?

— Une poupée, répondit-elle, fronçant les sourcils et un peu intimidée.

— Une poupée… Et savez-vous, mignonne, de quoi elle est faite, votre poupée ?

— Je ne sais pas…, répondit la fillette à voix basse et la tête tout à fait baissée.

— Elle est faite de chiffons, ma jolie. Toi, tu devrais t'en aller au salon, mon garçon, avec ceux de ton âge », dit Julien Mastakovitch avec un coup d'œil sévère. La fillette et le garçonnet faisaient la moue et s'étaient pris par la main. Ils n'avaient pas envie de se séparer.

« Et savez-vous pourquoi on vous a donné cette poupée ? demanda Julien Mastakovitch baissant de plus en plus la voix.

— Je ne sais pas.

— C'est pour que vous soyez une petite fille bien gentille et bien sage toute la semaine. »

Là-dessus Julien Mastakovitch, ému à la limite du possible, et toujours anxieux de n'être ni vu ni entendu, demanda enfin d'une voix à peine audible, presque mourante d'émotion et d'impatience :

« Est-ce que vous m'aimerez bien, mignonne fillette, quand je viendrai en visite chez vos parents ? »

Sur ces mots, Julien Mastakovitch voulut encore une fois embrasser la gentille enfant, mais le garçonnet roux, qui la voyait sur le point de pleurer, la saisit par la main et se mit à pleurer lui aussi par sympathie pour elle. Julien Mastakovitch se mit sérieusement en colère.

« Va-t'en, va-t'en d'ici, ouste ! dit-il au garçonnet. Va-t'en au salon ! Va retrouver ceux de ton âge !

— Non, il ne faut pas, il ne faut pas ! Allez-vous-en, vous ! dit la fillette. Laissez-le, laissez-le ! » dit-elle, déjà en larmes.

Il y eut un bruit à la porte, et Julien Mastakovitch sursauta et redressa son imposante corpulence. Mais le petit garçon roux, encore plus effrayé que Julien Mastakovitch, abandonna la fillette, et sans bruit, rasant les murs, passa du petit salon dans la salle à manger. Pour ne pas éveiller de soupçons, Julien Mastakovitch se rendit aussi à la salle à manger. Il était écarlate et, se voyant au passage dans un miroir, parut assez confus de lui-même. Peut-être s'en voulait-il de son accès de fièvre et d'impatience. Peut-être son calcul mental du début l'avait-il tellement impressionné, tellement séduit et transporté qu'il en avait oublié sa majesté et sa gravité pour agir comme un gamin en abordant tout droit son objet, oubliant aussi que l'objet, précisément, ne serait effectivement objet qu'au moins cinq ans plus tard. Je suivis l'honorable personnage dans la salle à manger et fus témoin d'un singulier spectacle. Julien Mastakovitch, cramoisi de rancune et de colère, houspillait le petit garçon roux qui, cherchant à s'éloigner le plus possible de lui, ne savait plus où se sauver de terreur.

« Va-t'en, qu'est-ce que tu fais ici, va-t'en, polisson, va-t'en ! Tu viens ici chiper des fruits, hein ? Tu viens ici chiper des fruits ? Va-t'en, polisson, va-t'en, morveux, va-t'en rejoindre ceux de ton âge ! »

Le garçonnet épouvanté, réduit aux ressources du désespoir, tenta de se fourrer sous la table. Alors son persécuteur, au comble de l'exaspération, sortit son vaste mouchoir de batiste et se mit à en fouetter l'air pour chasser l'enfant qui, sous la table, se faisait aussi petit que possible. Il faut dire ici que Julien Mastakovitch était assez corpulent. C'était un homme bien nourri, florissant, bien en chair, avec un petit ventre et de fortes cuisses, en un mot ce qui s'appelle un pot à tabac, rond comme une noix. Il suait, soufflait et s'empourprait à faire peur. Il finit par ne plus se connaître de rage, tant était grande son indignation, et peut-être (qui sait ?) sa jalousie. Je ne me retins pas d'éclater de rire. Julien Mastakovitch se retourna et, en dépit de toute son importance, fut écrasé de confusion. À ce moment entra par la porte opposée le maître de maison. Le petit garçon sortit de dessous la table en essuyant ses genoux et ses coudes. Julien Mastakovitch se hâta de porter à son nez le mouchoir qu'il tenait par un coin.

L'hôte nous regarda tous trois avec quelque surprise, mais, en homme qui sait vivre et prendre la vie par le côté sérieux, profita tout aussitôt de ce qu'il tenait son invité en tête à tête.

« Voici justement, monsieur, dit-il en désignant le petit rouquin, le garçonnet pour qui j'ai eu l'honneur de vous prier…

— Vous dites ? répondit Julien Mastakovitch qui n'avait pas encore repris tout à fait ses esprits.

— C'est le fils de la gouvernante de mes enfants, poursuivit l'hôte du ton de la sollicitation, une femme sans fortune, veuve d'un honorable fonctionnaire ; aussi... Julien Mastakovitch, si c'est possible...

— Ah ! non, non, s'écria précipitamment Julien Mastakovitch, non, excusez-moi, Philippe Alexiéiévitch, c'est absolument impossible. Je me suis renseigné, il n'y a pas de vacance, et même s'il y en avait, il y a déjà dix candidats qui ont bien plus de droits que lui... Je regrette beaucoup, je regrette beaucoup...

— C'est dommage, dit le maître de maison, c'est un garçon tellement modeste, tellement tranquille...

— Un polisson, oui, d'après ce que je remarque, répondit Julien Mastakovitch avec une grimace rageuse, va-t'en, gamin, qu'est-ce que tu fais là, va retrouver ceux de ton âge ! » ajouta-t-il en s'adressant à l'enfant.

Il ne put sans doute se retenir, ce disant, de jeter un regard vers moi. Je ne pus me retenir à mon tour et je lui éclatai de rire en plein visage. Julien Mastakovitch se détourna aussitôt, et demanda au maître de maison, assez haut pour que je pusse l'entendre, qui donc était ce bizarre jeune homme. Ils sortirent en se parlant à voix basse. Je vis ensuite Julien Mastakovitch, en entendant son interlocuteur, hocher la tête d'un air de méfiance.

Ayant ri mon content, je rentrai dans la salle de réception. Là le grand homme, entouré des pères et mères de famille, du maître et de la maîtresse de maison, faisait un discours plein d'ardeur à une dame à laquelle on venait de le présenter. La dame tenait par la main la fillette avec laquelle, dix minutes auparavant, Julien Mastakovitch avait eu la scène du petit salon. Maintenant il se répandait en louanges et en dithyrambes sur la beauté, les talents, la grâce et la bonne éducation de la charmante enfant. Il faisait visiblement sa cour à la maman. La mère l'écoutait les yeux humides de ravissement. Les lèvres du père souriaient. Le maître de maison était tout heureux de cet épanchement de contentement général. Les invités eux-mêmes sympathisaient, les jeux des enfants même avaient été interrompus pour ne pas troubler l'entretien. L'atmosphère était chargée d'extase attendrie. J'entendis ensuite la mère de l'intéressante fillette, touchée jusqu'au fond du cœur, prier en termes choisis Julien Mastakovitch de lui faire le tout particulier honneur de gratifier leur foyer de sa précieuse amitié, j'entendis Julien Mastakovitch accepter l'invitation avec un enthousiasme non feint, j'entendis enfin les invités, quand ils se séparèrent, dans les formes exigées par les convenances, pour aller chacun de son côté, chanter à l'envi avec attendrissement les louanges du gros concessionnaire, de sa femme, de leur fillette et surtout de Julien Mastakovitch.

« Il est marié, ce monsieur ? » demandai-je presque à haute voix à l'un de mes amis, qui se trouvait le plus près de Julien Mastakovitch.

Celui-ci me lança un coup d'œil interrogatif et furieux.

« Non ! » répondit mon ami, scandalisé jusqu'au fond du cœur de l'impair que je venais de commettre délibérément…

Je passais récemment devant l'église de Saint-N… ; je fus frappé de voir la foule qui s'y pressait. On y parlait d'un mariage. La journée était grise, la gelée blanche commençait. Je me glissai parmi la foule dans l'église et je vis le marié. C'était un petit homme tout rond, bien nourri, avec un petit ventre, très décoré. Il courait, s'affairait, donnait des ordres. Enfin le bruit courut qu'on amenait la fiancée. Je me frayai passage à travers la foule et je vis une jeune fille d'une merveilleuse beauté, tout juste à son premier printemps. Mais la jeune épousée était pâle et triste. Ses regards étaient distraits ; il me sembla même que ses yeux étaient rougis de pleurs tout récents. La pureté antique de chaque trait de son visage donnait à sa beauté je ne sais quoi de grave et de solennel. Mais à travers cette pureté de lignes et cette gravité, à travers cette tristesse transparaissait encore la première innocence de l'enfance ; on lisait sur ce visage quelque chose d'infiniment naïf, de non encore fixé, de puéril, quelque chose qui semblait de soi-même, sans prière, demander grâce.

Quelqu'un dit qu'elle avait à peine passé seize ans. En regardant attentivement l'heureux époux, je reconnus soudain Julien Mastakovitch, que je n'avais pas revu depuis exactement cinq ans. Mes yeux revinrent à elle... grand Dieu ! Je sortis au plus vite de l'église. On disait dans la foule que l'épousée apportait cinq cent mille roubles de dot... plus tant sous forme de trousseau...

« Tout de même, le calcul était bon ! » me disais-je en me frayant le passage vers la rue...

CHARLES DICKENS

Noël quand nous prenons de l'âge *

Il fut un temps, pour la plupart d'entre nous, où le jour de Noël, entourant comme d'un cercle magique tout notre univers limité, ne nous laissait rien à regretter ni à rechercher ; où ce jour rassemblait tous nos plaisirs, toutes nos affections, tous nos espoirs familiaux, groupait tout, choses et êtres, autour de la flambée de Noël et rendait complète la petite image qui se reflétait dans nos jeunes yeux étincelants.

Il vint un temps, bien trop vite peut-être, où nos pensées franchirent d'un bond cette étroite frontière ; où il fut une personne (très chère, pensions-nous alors, très belle et d'une perfection absolue) qui manquait à la plénitude de notre bonheur ; où notre absence était pareillement ressentie (ou du moins le pensions-nous, ce qui revenait presque au même) devant l'âtre auprès duquel était assise cette

* Extrait de *La Maison d'Âpre-Vent. Récits pour Noël et autres* (Bibliothèque de la Pléiade).

personne le jour de Noël ; et où nous entremêlions le nom de cette personne à toutes les couronnes et à toutes les guirlandes de notre vie.

Ce fut l'époque des lumineux Noëls visionnaires qui se sont depuis longtemps envolés loin de nous pour ne plus reparaître que faiblement, après une pluie d'été, parmi les plus pâles franges de l'arc-en-ciel ! Ce fut l'époque des plaisirs extatiques dus à ce qui devait être mais ne fut jamais, à ce qui pourtant était rendu si réel par notre robuste espérance qu'il serait difficile de dire aujourd'hui quelles réalités accomplies depuis lors ont été plus puissantes !

Quoi, n'est-il jamais venu en vérité, ce Noël où nous-même et la perle de grand prix, objet de notre choix juvénile, nous fûmes accueillis, après le plus heureux des mariages totalement impossibles, dans l'harmonie des deux familles qui étaient auparavant à couteaux tirés à cause de nous ? Où des beaux-frères et des belles-sœurs qui s'étaient toujours montrés froids envers nous avant que notre union fût scellée, se mirent bel et bien à nous adorer et où nos pères et nos mères nous comblèrent de fortunes sans limites ? N'a-t-il jamais été réellement dégusté, ce repas de Noël, après lequel nous nous levâmes pour rendre hommage, avec autant de générosité que d'éloquence, à notre rival de naguère, présent parmi les convives, et échangeâmes sur-le-champ avec lui amitié et pardon, posant ainsi les fondements d'une affection sans égale dans l'histoire de la Grèce et de Rome, qui subsista jusqu'à la mort ?

Ce même rival a-t-il depuis longtemps cessé de s'intéresser à cette même perle de grand prix, a-t-il fait un mariage d'argent, est-il devenu usurier ? Et surtout savons-nous vraiment aujourd'hui que nous aurions probablement été malheureux si nous avions conquis et porté la perle en question et que nous vivons mieux sans elle ?

Ce Noël où nous venions d'acquérir tant de réputation ; où nous avions été porté en triomphe quelque part, pour quelque action grande et belle ; où nous nous étions fait un nom honoré et ennobli, où nous revenions au foyer pour y être accueilli par un déluge de larmes de joie ; se peut-il que ce Noël-là ne soit pas encore arrivé ?

Et notre vie ici-bas est-elle, en mettant les choses au mieux, constituée de telle sorte que, quand nous nous arrêtons en chemin devant le remarquable jalon qu'est ce grand anniversaire, nous contemplions ce qui n'a jamais été de manière aussi naturelle et tout aussi solennelle que ce qui a été et n'est plus, ou ce qui a été et est encore ? S'il en est ainsi, et il semble bien qu'il en soit ainsi, faut-il conclure que la vie n'est guère plus qu'un rêve et n'est guère digne des affections et des efforts que nous y entassons ?

Non ! Loin de nous, cher lecteur, cette prétendue philosophie le jour de Noël ! Laissons-nous plutôt pénétrer le cœur par l'esprit de Noël, qui est l'esprit de l'activité utile, de la persévérance, de l'accomplissement joyeux du devoir, de la bonté et de la tolérance ! C'est en particulier dans l'exercice de ces dernières vertus que nous sommes, ou que nous devrions être, fortifié par les visions non réalisées de notre jeunesse ; qui en effet ira prétendre que ces visions ne nous enseignent pas à traiter avec douceur les petits riens les plus impalpables de la vie terrestre !

Par conséquent, quand nous prenons de l'âge, rendons grâces en voyant s'élargir le champ de nos pensées de Noël et des leçons qu'elles nous apportent ! Accueillons avec faveur chacune d'elles, invitons-les à prendre place auprès de la cheminée de Noël.

Soyez les bienvenues, aspirations d'antan, étincelantes créatures d'une imagination ardente, venez occuper votre place à l'abri, sous le houx ! Nous vous reconnaissons, la vie ne nous a pas encore détaché de vous. Soyez les bienvenus, projets et amours d'antan, quelque éphémères que vous ayez été, venez occuper vos niches parmi les lumières plus stables qui brillent autour de nous. Soyez les bienvenues, toutes choses qui furent jamais réelles pour nos cœurs ; et, pour la sincérité qui vous rendit réelles, grâces soient au Ciel ! Ne bâtissons-nous donc plus de châteaux de Noël dans les nuages à présent ? Que nos pensées, voletant comme des papillons autour des fleurs que sont les enfants, portent témoignage ! Devant ce jeune garçon s'étend un avenir plus resplendissant que tous ceux que nous avons contemplés dans notre bon vieux temps romantique, mais resplendissant d'honneur et de loyauté. Autour de cette petite tête sur laquelle s'accumulent les boucles ensoleillées se jouent les grâces, aussi joliment, aussi légèrement qu'à l'époque où le Temps n'avait pas de faux à portée de la main pour faucher les cheveux bouclés de notre premier amour. Sur le visage tout proche d'une autre fillette, plus placide mais illuminé d'un sourire, sur ce visage tranquille et heureux nous lisons, clairement inscrit, le mot Foyer. À la lumière qui émane de ce mot, comme des rayons émanent d'une étoile, nous voyons comment, quand nos tombes seront déjà vieilles, d'autres espoirs que les nôtres resteront jeunes, d'autres cœurs que les nôtres seront émus ; comment d'autres chemins s'aplaniront, comment d'autres bonheurs pourront éclore, s'épanouir et se faner... mais non, ils ne se faneront pas, car d'autres foyers et d'autres groupes d'enfants, qui n'existeront pas avant des siècles, pourront naître, éclore et s'épanouir jusqu'à la fin des temps !

Bienvenue à tout ! Bienvenue, pareillement, à ce qui a été, à ce qui jamais ne fut et à ce qui est notre espoir pour l'avenir : prenez place autour de la cheminée de Noël où s'assemblent, le cœur ouvert, tous ceux qui sont ! Dans ce coin d'ombre, là-bas, ce que nous voyons intercepter furtivement la lueur de la flambée, est-ce le visage d'un ennemi ? En ce jour de Noël nous lui pardonnons assurément ! Si le mal qu'il nous a fait est de nature à permettre un tel rapprochement, qu'il vienne prendre place ici. Si le malheur veut qu'il n'en soit pas ainsi, qu'il s'en aille, assuré que jamais nous ne lui ferons ni mal ni reproches.

En ce jour nous n'excluons rien !

« Un instant, murmure une voix sourde. Rien ? Réfléchis !

— Le jour de Noël, nous ne voulons rien exclure du coin de notre feu, rien.

— Pas même l'ombre d'une vaste cité recouverte d'une grande épaisseur de feuilles flétries ? réplique la voix. Pas même l'ombre qui obscurcit le globe tout entier ? Pas même l'ombre de la Cité des Morts ? »

Non, pas même cela. En ce jour de Noël plus qu'en aucun autre jour de l'année, nous voulons tourner nos regards vers cette Cité et, du milieu de ses foules silencieuses, ramener parmi nous ceux que nous avons aimés. Cité des Morts, par le nom béni qui nous réunit tous ensemble en ce moment, par la présence qui est ici parmi nous selon la promesse, nous voulons accueillir, et non pas congédier, les êtres qui nous sont chers !

Oui. Nous pouvons contempler ces jeunes anges qui descendent, si solennels et si beaux, parmi les jeunes vivants au coin du feu ; alors nous pourrons supporter de penser à la façon dont ils nous ont quittés. Recevant des anges sans le savoir, comme les Patriarches, les enfants joyeux sont inconscients de la présence de leurs visiteurs ; mais nous les voyons, nous… nous voyons un bras lumineux passé autour du cou d'un petit être chéri, comme pour donner à cet enfant-là la tentation de s'éloigner à son tour. Parmi les figures célestes, il en est une, celle d'un pauvre petit garçon, difforme quand il était sur terre, d'une beauté resplendissante désormais, et dont la mère en mourant avait dit qu'elle était grandement affligée de le laisser ici-bas, tout seul, pendant toutes les nombreuses années qui s'écouleraient probablement avant qu'il la rejoignît, puisqu'il était encore si petit. Mais il est parti très vite et on l'a déposé sur le sein de sa mère et elle le conduit par la main.

Il y avait un jeune garçon courageux qui tomba, au loin, sur un sable brûlant sous un soleil brûlant, et déclara : « Dites à mes parents, avec mes derniers mots d'affection, combien j'aurais voulu les embrasser encore une fois, mais que je suis mort satisfait et que j'avais fait mon devoir ! » Ou bien un autre, pour qui fut prononcée la parole : « Nous confions donc ton corps aux profondeurs des eaux », et qui fut ainsi déposé dans l'océan solitaire tandis que le navire poursuivait sa route. Ou un autre encore, qui s'endormit sous l'ombre obscure de vastes forêts pour ne plus jamais s'éveiller sur cette terre. Ah, ceux-là ne seront-ils pas rappelés — des sables, de la mer ou de la forêt, vers leur foyer en un jour pareil ?

Il y avait une jeune fille tendrement aimée (presque femme mais qui ne devait jamais le devenir) qui créa un Noël de deuil dans une maison joyeuse et parcourut le chemin mystérieux de la Cité muette. Est-ce épuisée que nous nous la remémorons, murmurant d'une voix faible des paroles inaudibles et sombrant par lassitude dans son dernier sommeil ? Ah, voyez-la à présent ! Ah, voyez sa beauté, sa sérénité, sa jeunesse immuable, sa félicité ! La fille de Jaïre fut rappelée à la vie, et c'était pour mourir ; mais cette jeune fille, plus comblée de bénédictions, a entendu la même voix lui dire : « Relève-toi pour toujours ! »

Nous avions un ami qui l'était devenu dès l'enfance et avec qui nous imaginions souvent les changements qui marqueraient notre vie, en nous représentant gaiement ce que deviendraient notre discours, notre démarche, notre pensée, notre conversation quand nous aurions pris de l'âge. Sa demeure désignée dans la Cité des Morts l'accueillit dans sa prime jeunesse. Sera-t-il exclu de notre souvenir de Noël ? Son affection nous aurait-elle éliminé de la sorte ? Ami perdu, enfant perdu, parent, sœur, frère, mari, femme, que nous avons perdus, nous ne voulons pas vous rejeter ainsi ! Vous tiendrez la place qui vous est précieusement gardée dans notre cœur, au coin de notre feu, en ce jour de Noël ; ainsi à la saison de l'espoir immortel, au jour de naissance de l'immortelle miséricorde, nous ne voulons rien exclure !

Le soleil hivernal descend sur villes et villages ; sur la mer il dessine un chemin rose, comme si les pas du Sauveur venaient de se poser sur les eaux. Un instant de plus, et le soleil disparaît, et la nuit vient et des lumières commencent à scintiller dans le paysage. Au flanc du coteau, par-delà l'étalement informe de la ville, comme à l'abri paisible des arbres qui enserrent le clocher du village, les souvenirs sont sculptés dans la pierre, plantés sous forme de simples fleurs, croissent avec l'herbe, s'entremêlent aux humbles ronces autour d'innombrables monticules de terre. Dans les villes et les villages portes et fenêtres sont fermées, pour protéger du froid ; les bûches enflammées sont amoncelées, les visages sont joyeux, les voix font entendre une vigoureuse musique. Que toute dureté et toute méchanceté soient chassées des temples de nos dieux domestiques, mais que nos souvenirs soient tendrement accueillis et encouragés ! Ils font partie de cette saison et de tout ce qu'elle a de réconfortant et de paisiblement rassurant ; ils font partie de l'événement historique qui a rassemblé jusque sur la terre les vivants et les morts ; ils font partie de l'ample bienfaisance, de la bonté que trop d'hommes se sont efforcés de déchirer en étroits lambeaux.

DES NOËLS
PEU TRADITIONNELS...

HONORÉ DE BALZAC

La Fascination *

> — Qu'as-tu fait pour la forcer à t'obéir ?…
>
> — Rien, répondit Varney ; j'ai seulement arrêté sur elle ce regard qui dompte les insensés, les femmes et les enfants.
>
> WALTER SCOTT, *Kenilworth.*

En quittant le service, M. de Verdun, officier supérieur de la garde impériale, avait été s'établir à Versailles, où il habitait une maison de campagne située entre l'église et la barrière de Montreuil, sur le chemin qui conduit à l'avenue de Saint-Cloud.

Élevé jadis pour servir d'asile aux passagères amours de quelque grand seigneur, ce pavillon avait de très vastes dépendances ; et les jardins s'étendaient assez également à droite et à gauche pour l'éloigner, par une même longueur de murs, soit des premières maisons de Montreuil, soit des chaumières

* Extrait de *Les Deux Rencontres* dans *Nouvelles et contes*, I, *1820-1832* (Quarto).

construites aux environs de la barrière. Ainsi, sans être par trop isolés, les maîtres de cette propriété jouissaient, à deux pas d'une ville, de tous les plaisirs de la solitude. Par une étrange contradiction, la façade et la porte d'entrée de la maison donnaient immédiatement sur la rue ; mais peut-être, autrefois, le chemin était-il peu fréquenté. Cette hypothèse paraît vraisemblable si l'on vient à songer qu'il aboutit au délicieux pavillon bâti par Louis XV pour Mlle de Romans, et qu'avant d'y arriver les curieux reconnaissent, çà et là, plus d'un *casino*[1] dont l'intérieur et le décor trahissent les spirituelles débauches de nos aïeux, qui, malgré la licence dont on les accuse, cherchaient néanmoins l'ombre et le mystère.

Par une soirée d'hiver, le colonel Verdun, sa femme et ses enfants se trouvèrent seuls dans cette maison déserte. Leurs gens avaient obtenu la permission d'aller célébrer à Versailles la noce de l'un d'entre eux ; et, présumant que la solennité de Noël, jointe à cette circonstance, leur offrirait une valable excuse auprès de leurs maîtres, ils ne se faisaient pas scrupule de consacrer à la fête un peu plus de temps que ne leur en avait octroyé l'ordonnance domestique.

Cependant, comme M. de Verdun était connu pour un homme qui n'avait jamais manqué d'accomplir sa parole avec une inflexible probité,

1. Dérivé de l'italien *casa*, le *casino* est, au XVIIIe siècle, une « petite maison » à la campagne, c'est-à-dire, très souvent, un lieu de rendez-vous galant.

les réfractaires ne dansèrent pas sans quelques remords quand le moment du retour fut expiré. Dix heures venaient de sonner et pas un domestique n'était arrivé.

Le profond silence qui régnait sur la campagne permettait d'entendre, par intervalles, la bise sifflant à travers les branches noires des arbres, mugissant autour de la maison ou s'engouffrant dans les longs corridors. La gelée avait si bien purifié l'air, durci la terre et saisi les pavés, que tout avait cette sonorité sèche dont les phénomènes nous surprennent toujours. La lourde démarche d'un buveur attardé, ou le bruit d'un fiacre retournant à Paris, retentissaient plus vivement et se faisaient écouter de plus loin que de coutume. Les feuilles mortes, mises en danse par quelques tourbillons soudains, frissonnaient sur les pierres de la cour de manière à donner une voix à la nuit, quand elle voulait devenir muette. C'était enfin une de ces âpres soirées qui arrachent à notre égoïsme une plainte stérile en faveur du pauvre ou du voyageur, et qui nous rendent le coin du feu si voluptueux !...

En ce moment, la famille Verdun, réunie au salon, ne s'inquiétait ni de l'absence des domestiques, ni des gens sans foyer, ni de la poésie dont étincelle une veillée d'hiver : sans philosopher hors de propos et se fiant à la protection d'un vieux soldat, femme et enfants se livraient aux ineffables délices dont est féconde une vie intérieure quand les sentiments n'y sont pas gênés, quand l'affection, la franchise et la délicatesse animent les discours, les regards et les jeux…

Le colonel était assis, ou, pour mieux dire, enseveli dans une haute et spacieuse bergère, au coin de la cheminée, où brillait un feu nourri qui répandait cette chaleur piquante, symptôme d'un froid excessif au dehors. Appuyée sur le dos du siège, et légèrement inclinée, la tête de ce bon père restait dans une pose dont l'indolence peignait un calme parfait, un doux épanouissement de joie intime ; et les bras, à moitié endormis, mollement jetés hors de la bergère, achevaient d'exprimer une pensée de bonheur.

Il contemplait le plus petit de ses enfants, un garçon à peine âgé de cinq ans, qui, demi-nu, se refusait à se laisser déshabiller par sa mère. Le bambin fuyait la chemise ou le bonnet de nuit dont Mme de Verdun le menaçait parfois ; et, gardant sa collerette brodée, il riait à sa mère quand elle l'appelait, s'apercevant qu'elle riait elle-même de cette rébellion enfantine. Alors il se remettait à jouer avec sa sœur, aussi naïve, mais plus malicieuse et parlant déjà plus distinctement que lui, dont les vagues paroles et les idées confuses étaient à peine intelligibles pour ses parents. La petite Moïna, son aînée de deux ans, provoquait, par des agaceries déjà féminines, d'interminables rires partant comme des fusées, et qui semblaient ne pas avoir de causes ; mais à les voir, tous deux, se roulant devant le feu, montrant, sans pudeur, leurs jolis corps potelés, leurs formes blanches et délicates, confondant les boucles de leurs chevelures noire et blonde, heurtant leurs visages roses où la joie traçait des fossettes ingénues, certes un père et surtout une mère comprenaient ces petites âmes, pour eux déjà caractérisées, pour eux déjà passionnées. Ces deux anges faisaient pâlir, par les vives couleurs de leurs yeux humides, de leurs joues brillantes, de leur teint blanc, les fleurs du tapis moelleux, ce théâtre de leurs ébats, sur lequel ils tombaient, se renversaient, se combattaient, se roulaient sans danger.

Assise sur une causeuse à l'autre coin de la cheminée, en face de son mari, la mère était entourée de vêtements épars ; et restait, un soulier rouge à la main, dans une attitude pleine de laisser-aller. Son indécise sévérité mourait dans un doux sourire gravé sur ses lèvres… Âgée d'environ trente-six ans, elle conservait encore une beauté due à la rare perfection des lignes de son visage, auquel la chaleur, la lumière et le bonheur prêtaient en ce moment un éclat surnaturel. Souvent elle cessait de regarder ses enfants pour reporter ses yeux caressants sur la grave et puissante figure de son mari ; et parfois, les yeux des deux époux se rencontrant, ils échangeaient de muettes jouissances…

Le colonel avait un visage fortement basané. Son front large et pur était sillonné par quelques mèches de cheveux grisonnants. Un ruban rouge brillait à la boutonnière de son habit ; et les mâles éclairs de ses yeux bleus, la bravoure inscrite dans les rides de ses joues flétries, annonçaient qu'il devait cette distinction à de rudes, à de glorieux travaux. En ce moment, les innocentes joies exprimées par ses deux enfants se reflétaient sur sa physionomie vigoureuse et ferme où perçaient une bonhomie, une candeur indicibles. Ce vieux capitaine était redevenu petit sans beaucoup d'efforts ; car il y a toujours un peu d'amour pour l'enfance chez les soldats qui ont expérimenté le monde et la vie, qui ont appris à reconnaître les misères de la force et les privilèges de la faiblesse.

Plus loin, devant une table ronde, éclairée par des lampes astrales dont les vives lumières luttaient avec les lueurs plus pâles des bougies placées sur la cheminée, était un jeune garçon de treize ans, occupé à lire un gros livre dont il tournait rapidement les pages. Les cris de son frère et de sa sœur ne lui causaient aucune distraction. Sa figure accusait toute la curiosité de la jeunesse. Cette profonde préoccupation était justifiée par les attachantes merveilles des *Mille et une Nuits* et par un uniforme de lycéen. Il restait immobile dans une attitude méditative, un coude sur la table et la tête appuyée sur l'une de ses mains, dont les doigts blancs tranchaient au milieu d'une chevelure brune. La clarté tombant d'aplomb sur son visage, et le reste du corps étant dans l'obscurité, il ressemblait ainsi à ces portraits noirs où Raphaël s'est représenté lui-même, attentif, penché, songeant à l'avenir.

Entre cette table et Mme de Verdun, une grande

et belle jeune fille travaillait assise devant un métier à tapisserie, sur lequel se penchait et d'où s'éloignait alternativement sa tête, dont les cheveux d'ébène artistement lissés réfléchissaient la lumière.

À elle seule, Hélène formait un ravissant spectacle. Sa beauté se distinguait par un rare caractère de force et d'élégance. Quoique relevée de manière à dessiner des traits vifs autour de la tête, la chevelure était si abondante que, rebelle aux dents du peigne, elle se frisait énergiquement à la naissance du cou. Ses sourcils, très fournis et régulièrement plantés, tranchaient avec la blancheur de son front pur. Elle avait même sur la lèvre supérieure quelques signes de courage, qui figuraient une légère teinte de bistre sous un nez grec dont les contours étaient d'une exquise perfection. Mais la rondeur captivante des formes, la candide expression des autres traits, la transparence d'une carnation délicate, la voluptueuse mollesse des lèvres, le fini de l'ovale décrit par le visage, et surtout la sainteté de son regard vierge, imprimaient à cette beauté vigoureuse la suavité féminine, la modestie enchanteresse que nous demandons à ces anges de paix et d'amour. Seulement il n'y avait rien de frêle dans cette jeune fille, et son cœur devait être aussi doux, son âme aussi forte, que ses proportions étaient magnifiques et sa figure attrayante.

Imitant le silence de son frère le lycéen, elle paraissait en proie à l'une de ces fatales méditations de jeune fille, souvent impénétrables à l'observation d'un père et même à la sagacité des mères ; en sorte qu'il était impossible de savoir s'il fallait attribuer aux jeux de la lumière ou à des peines secrètes les ombres capricieuses qui passaient sur son visage comme des nuées sur un ciel pur.

Les deux aînés étaient en ce moment complètement oubliés par M. et Mme de Verdun. — Cependant, plusieurs fois, le coup d'œil interrogateur du colonel avait embrassé la scène muette qui, sur le second plan, offrait une gracieuse réalisation des espérances écrites dans les tumultes enfantins placés sur le devant de ce tableau domestique. En expliquant la vie humaine par d'insensibles gradations, ces figures composaient une sorte de poème vivant. Et le luxe des accessoires qui décoraient le salon ; et la diversité des attitudes ; les oppositions formées par les vêtements tous divers de couleurs ; et les contrastes créés par les expressions de ces visages fortement accidentés, grâce aux tons imprimés par les différents âges et aux contours mis en saillie par les lueurs, répandaient sur ces pages humaines toutes les richesses demandées à la sculpture, aux peintres, aux écrivains... Enfin le silence et l'hiver, la solitude et la nuit, prêtaient leur majesté à cette sublime et naïve composition, délicieux effet de nature.

Il y a dans la vie conjugale de ces heures sacrées dont le charme indéfinissable est dû peut-être à quelque souvenance d'un monde meilleur... Des rayons célestes jaillissent, sans doute, sur ces sortes de scènes, destinées à payer à l'homme une partie de ses chagrins, à lui faire accepter l'existence. Il semble que l'univers soit là, devant nous, sous une forme enchanteresse, nous déroulant de grandes idées d'ordre, plaidant pour les lois, pour la société, nous dénonçant l'avenir...

Cependant, malgré le regard d'attendrissement jeté par Hélène sur Abel et Moïna quand éclatait une de leurs joies ; malgré le bonheur peint sur sa lucide figure lorsqu'elle contemplait furtivement son père, il y avait en elle un sentiment de profonde mélancolie empreint dans ses gestes, dans son attitude, et surtout dans ses yeux voilés par de longues paupières. Ses blanches et puissantes mains, à travers lesquelles la lumière passait, en leur communiquant une rougeur diaphane et presque fluide, eh bien ! ses mains tremblaient !... Une seule fois, sans se défier mutuellement, ses yeux et ceux de Mme de Verdun se heurtèrent ; et alors ces deux femmes se comprirent par un regard terne et froid, respectueux chez Hélène, sombre et menaçant chez la mère. Hélène baissa promptement sa vue sur le métier, tira l'aiguille avec prestesse, et de longtemps ne releva sa tête, qui semblait lui être devenue trop lourde à porter.

La mère était-elle trop sévère pour sa fille, et jugeait-elle cette sévérité nécessaire ?... Était-elle jalouse de la beauté d'Hélène avec qui elle pouvait rivaliser encore, mais en déployant tous les prestiges de la toilette ? Ou la fille avait-elle surpris, comme toutes les filles quand elles deviennent clairvoyantes, des secrets que cette femme, si religieusement fidèle à ses devoirs, croyait avoir ensevelis dans son cœur aussi profondément que dans une tombe ?... Quoi qu'il en fût, depuis quelque temps, Hélène était devenue plus pieuse et plus recueillie qu'aux jours où, folâtre, elle demandait à aller au bal ; et jamais elle n'avait été si caressante pour son père, surtout quand Mme de Verdun n'était pas témoin de ses cajoleries de jeune fille...

Néanmoins, s'il existait du refroidissement dans l'affection d'Hélène pour sa mère, il était si finement exprimé que le colonel ne devait pas s'en apercevoir, tout jaloux qu'il pût être de l'union qui régnait dans sa famille et dont il se faisait gloire. Nul homme n'aurait eu de vue assez perçante pour sonder la profondeur de ces deux cœurs féminins : l'un jeune et généreux, l'autre sensible et fier ; le premier, trésor d'indulgence, le second plein de finesse et d'amour. Si la mère contristait sa fille par un adroit despotisme de femme, il n'était sensible qu'aux yeux de la victime... Au reste, l'événement seul fit naître ces conjectures toutes insolubles. Jusqu'à cette nuit, aucune lumière accusatrice ne s'était échappée de ces deux âmes ; mais entre elles et Dieu il s'élevait certainement quelque sinistre mystère...

— Allons, Abel, s'écria Mme de Verdun, en saisissant un moment où, silencieux et fatigués, Moïna et son frère restaient immobiles ; allons, venez, mon fils, il faut vous coucher…

Et lui lançant un regard impérieux, elle le prit vivement sur ses genoux…

— Comment !… dit le colonel, il est dix heures et demie… et pas un de nos domestiques n'est rentré !… Ah ! les compères !…

— Gustave !… ajouta-t-il, en se tournant vers son fils, s'il vous reste peu de pages à lire, achevez votre conte ; ou sinon, en route !… Il faut dormir, mon enfant. Demain nous avons cinq lieues à faire, et comme nous devons être à huit heures au lycée, ne badinons pas avec la consigne…

Sans donner la moindre marque de regret, Gustave ferma le livre à l'instant même, avec une obéissance tout à la fois intelligente et passive, qui révélait l'empire exercé par le colonel dans sa maison.

Il y eut un moment de silence pendant lequel M. de Verdun, s'emparant de Moïna, qui se débattait contre le sommeil, la posa doucement sur lui ; et alors la tête chancelante de la petite roula sur la poitrine du père et s'y endormit tout à fait, enveloppée dans les rouleaux dorés de sa jolie chevelure…

En cet instant, des pas horriblement rapides retentirent dans la rue, sur la terre, et soudain trois coups, frappés à la porte, réveillèrent les échos de la maison. Ces coups prolongés eurent un accent aussi facile à comprendre que le cri d'un homme en danger de mourir. Le chien de garde aboya d'un ton de fureur. Hélène, Gustave, le colonel et sa femme tressaillirent vivement ; mais Abel, que sa mère achevait de coiffer, et Moïna ne s'éveillèrent pas.

— Il est pressé celui-là !… s'écria le militaire, en déposant sa fille sur la bergère.

Il sortit brusquement du salon, sans avoir entendu la demande de sa femme.

— Mon ami, n'y va pas…

M. de Verdun passa dans sa chambre à coucher, y prit une paire de pistolets, alluma sa lanterne sourde, s'élança vers l'escalier, descendit avec la rapidité de l'éclair, et se trouva bientôt à la porte de la maison.

— Qui est là ?… demanda-t-il.

— Ouvrez !… répondit une voix presque suffoquée par des respirations haletantes.

— Êtes-vous ami ?…

— Oui, ami !…

— Êtes-vous seul ?…

— Oui… mais ouvrez… *Ils* viennent !… *ils* viennent !

Un homme se glissa sous le porche avec la fantastique vélocité d'une ombre aussitôt que le colonel eut entrebâillé la porte ; et, sans qu'il pût s'y opposer, l'inconnu l'obligea de la lâcher en la repoussant par un vigoureux coup de pied, et il s'y appuya résolument comme pour empêcher de la rouvrir.

Alors M. de Verdun, levant à la fois son pistolet et sa lanterne sur la poitrine de l'étranger, afin de le tenir en respect, vit un homme de moyenne taille, enveloppé dans une pelisse fourrée, vêtement de vieillard, ample et traînant, qui semblait ne pas avoir été fait pour lui. Soit prudence ou hasard, le fugitif avait le front entièrement couvert par un chapeau qui lui tombait sur les yeux.

— Monsieur… dit-il au colonel, abaissez le canon de votre pistolet. Je ne prétends pas rester chez vous sans votre consentement ; mais si je sors… la mort m'attend à la barrière… Et quelle mort !… Vous en répondriez à Dieu !… Je vous demande l'hospitalité pour deux heures… — Songez-y bien, monsieur ; car, tout suppliant que je suis, je dois commander avec le despotisme de la nécessité… — Je veux l'hospitalité de l'Arabie… Que je vous sois sacré !… sinon… ouvrez… j'irai mourir… Il me faut le secret, un asile et de l'eau !

— Oh ! de l'eau !… répéta-t-il d'une voix qui râlait.

— Qui êtes-vous ?… demanda le colonel surpris de la volubilité fiévreuse avec laquelle parlait l'inconnu…

— Ah ! ah !… — Eh bien ! ouvrez… que je m'éloigne… répondit l'homme avec un accent d'ironie infernale.

Malgré l'adresse avec laquelle M. de Verdun promenait les rayons de sa lanterne, il ne pouvait voir que le bas du visage de son hôte, et rien n'y plaidait en faveur d'une hospitalité si singulièrement réclamée : les joues étaient tremblantes, livides, les traits horriblement contractés ; et, dans l'ombre projetée par le bord du chapeau, les yeux se dessinaient comme deux lueurs qui firent presque pâlir la faible lumière de la bougie.

Cependant il fallait une réponse.

— Monsieur, dit le colonel, votre langage est certainement celui d'un homme de bonne compagnie ; mais à ma place, vous…

— Vous disposez de ma vie !… s'écria l'étranger d'un son de voix terrible, en interrompant son hôte.

— Deux heures !… dit M. de Verdun irrésolu.

— Deux heures… répéta l'homme.

Mais tout à coup, repoussant en arrière son chapeau par un geste de désespoir, il lança, comme s'il voulait faire une dernière tentative, un regard dont la vive clarté pénétra l'âme du colonel. Ce jet puissant de l'intelligence et de la volonté ressemblait à un éclair, et fut écrasant comme la foudre ; car il y a des moments où les hommes sont investis d'un pouvoir inexplicable.

— Allez, qui que vous puissiez être, reprit gravement le maître du logis, croyant obéir à l'un de ces mouvements instinctifs dont l'homme ne sait pas toujours se rendre compte, vous serez en sûreté sous mon toit !…

— Dieu vous le rende !… ajouta l'inconnu, laissant échapper un profond soupir…

— Êtes-vous armé ?… demanda le colonel.

Pour toute réponse, l'étranger, lui donnant à peine le temps de jeter un coup d'œil sur sa personne, ouvrit et replia lestement sa pelisse. Il était sans armes apparentes et dans le costume d'un jeune homme sortant du bal.

Tout rapide que fut l'examen du soupçonneux militaire, il en vit assez pour s'écrier :

— Où diable avez-vous pu vous éclabousser ainsi par un temps si sec ?…

— Déjà des questions !… répondit-il avec un air de hauteur.

— Suivez-moi, reprit M. de Verdun.

Ils devinrent silencieux, comme deux joueurs qui se défient l'un de l'autre.

Le colonel commença même à concevoir de sinistres pressentiments ; car l'inconnu lui pesait déjà sur le cœur, comme un cauchemar ; mais, dominé par la foi du serment, il conduisit son hôte à travers les corridors, les escaliers de sa maison, et le fit entrer dans une grande chambre située au second étage, précisément au-dessus du salon. Cette pièce inhabitée servait de séchoir en hiver, ne communiquait à aucun appartement, et n'avait d'autre décoration, sur ses quatre murs jaunis, qu'un méchant miroir laissé sur la cheminée par le précédent propriétaire, et une grande glace qui, n'ayant pu être employée lors de l'emménagement de M. de Verdun, était provisoirement restée en face de la cheminée. Le plancher de cette vaste mansarde n'avait jamais été balayé ; l'air y était glacial ; et deux vieilles chaises dépaillées en composaient le mobilier.

Après avoir posé sa lanterne sur l'appui de la cheminée, le colonel dit à l'inconnu :

— Votre sécurité veut que cette misérable mansarde vous serve d'asile… Et — comme vous avez ma parole pour le secret, vous me permettrez de vous y enfermer…

L'homme baissa la tête en signe d'adhésion.

— Je n'ai demandé qu'un asile, le secret… et — de l'eau… ajouta-t-il.

— Je vais vous en apporter… répondit M. de Verdun.

Puis, fermant la porte avec soin, il descendit à tâtons dans le salon, pour y venir prendre un flambeau, afin d'aller chercher lui-même une carafe dans l'office.

— Hé bien, monsieur, qu'y a-t-il ?… demanda vivement Mme de Verdun à son mari…

— Rien, ma chère, répondit-il d'un air froid.

— Mais nous avons cependant bien écouté… Vous venez de conduire quelqu'un là-haut…

— Gustave, Hélène ?… reprit le colonel en regardant ses enfants, qui levèrent la tête vers lui, songez que l'honneur de votre père repose sur votre discrétion. Vous devez n'avoir rien entendu…

Le lycéen et la jeune fille répondirent par un mouvement de tête significatif. Mme de Verdun demeura tout interdite et piquée intérieurement de la manière dont son mari s'y prenait pour lui imposer silence.

Le colonel alla prendre une carafe, un verre, et remonta dans la chambre où était son prisonnier. Il le trouva debout, appuyé contre le mur, près de la cheminée, la tête nue : il avait jeté son chapeau sur une des deux chaises. L'étranger ne s'attendait sans doute pas à se voir si vivement éclairé ; car son front se plissa, et sa figure devint soucieuse quand ses yeux rencontrèrent les yeux perçants du colonel ; mais il s'adoucit, et prit une physionomie gracieuse pour remercier son protecteur.

Lorsque ce dernier eut placé le verre et la carafe sur l'appui de la cheminée, l'inconnu, lui jetant encore un regard flamboyant, rompit le silence.

— Monsieur... dit-il d'une voix douce qui n'eut plus de convulsions gutturales comme précédemment, mais qui néanmoins accusait encore un tremblement intérieur ; monsieur, je vais vous paraître bizarre... Excusez mes caprices... ils sont nécessaires. — Si vous restez là, je vous prierai de ne pas me regarder quand je boirai...

Le colonel se retourna brusquement, contrarié de toujours obéir à un homme qui lui déplaisait.

L'étranger tira de sa poche un mouchoir blanc, s'en enveloppa la main droite ; puis, saisissant la carafe, il but d'un trait l'eau qu'elle contenait. Sans penser à enfreindre son serment tacite, M. de Verdun regardait machinalement dans la glace ; et alors, la correspondance des deux miroirs permettant à ses yeux de parfaitement embrasser l'inconnu, il vit le mouchoir se rougir soudain par le contact des mains, qui étaient — pleines de sang.

— Ah ! vous m'avez regardé !... s'écria l'homme, quand, après avoir bu et s'être enveloppé dans son manteau, il examina le colonel d'un air soupçonneux ; alors je suis perdu ; car *ils* viennent... les voici !...

— Je n'entends rien... dit M. de Verdun.

— Vous n'êtes pas intéressé comme je le suis à écouter...

— Vous vous êtes donc battu en duel, pour être ainsi couvert de sang ?... demanda le colonel, assez ému en distinguant la couleur des larges taches dont les vêtements de son hôte étaient imbibés.

— Oui, un duel... vous l'avez dit !... répéta l'étranger en laissant errer sur ses lèvres un sourire amer...

En ce moment, le son des pas de plusieurs chevaux allant au grand galop retentit dans le lointain, mais ce bruit était faible comme les premières lueurs du matin. L'oreille exercée du colonel reconnut la marche des chevaux disciplinés par le régime de l'escadron. Alors, jetant sur son prisonnier un regard de nature à dissiper les doutes qu'il avait pu lui suggérer par son indiscrétion involontaire, il remporta la lumière et revint au salon.

À peine posait-il la clef de la chambre haute sur la cheminée que le bruit produit par la cavalerie, grossissant et s'approchant avec une étonnante rapidité, le fit tressaillir ; car les chevaux bientôt s'arrêtèrent à la porte de la maison. Après avoir échangé quelques paroles avec ses camarades, un cavalier descendit, frappa rudement, et obligea le colonel d'aller ouvrir. Ce dernier ne fut pas maître d'une émotion secrète en voyant six gendarmes dont les chapeaux bordés d'argent et les armes brillaient à la clarté de la lune.

— Mon colonel, lui dit un brigadier… n'avez-vous pas entendu tout à l'heure un homme courant vers la barrière ?…

— Vers la barrière ?… non.

— Vous n'avez ouvert votre porte à personne ?

— Est-ce que j'ai l'habitude d'ouvrir ma porte…

— Mais, pardon, mon colonel, en ce moment, il me semble que…

— Ah ça ! s'écria M. de Verdun avec un accent de colère, allez-vous me plaisanter ?… Avez-vous le droit…

— Rien, rien, mon colonel, reprit doucement le brigadier. Vous excuserez notre zèle… Nous vous connaissons, et savons que vous êtes un homme trop prudent pour vous exposer à recevoir un assassin à cette heure de la nuit…

— Un assassin !… s'écria le colonel. Et qui donc a été…

— M. le marquis de Mauny vient d'être haché en je ne sais combien de morceaux, reprit le gendarme. Mais l'assassin a été vivement poursuivi ;

nous sommes certains qu'il est dans les environs… et nous allons le traquer… Excusez, mon colonel.

Ces dernières phrases ayant été dites par le gendarme pendant qu'il montait à cheval, il ne lui fut heureusement pas possible de voir la figure du colonel, car le cauteleux officier de la police judiciaire, habitué à tout supposer, aurait peut-être conçu des soupçons à l'aspect de cette physionomie ouverte où se peignaient si fidèlement les mouvements de l'âme.

— Sait-on le nom du meurtrier ? demanda le colonel.

— Non, répondit le cavalier. Il a laissé le secrétaire plein d'or et de billets de banque, sans y toucher.

— C'est une vengeance… dit M. de Verdun.

— Ah, bah !… sur un vieillard !… Non, non, ce gaillard-là n'aura pas eu le temps de faire son coup.

Et le gendarme rejoignit ses compagnons, qui, déjà partis, galopaient dans le lointain.

M. de Verdun resta pendant un moment en proie à des perplexités faciles à comprendre. Bientôt il entendit ses domestiques qui revenaient en se disputant avec une sorte de chaleur, et dont les voix retentissaient dans le carrefour de Montreuil. Il ne les attendit pas longtemps. Quand ils arrivèrent, sa colère, à laquelle il fallait un prétexte pour s'exhaler du cœur où elle bouillonnait, tomba sur eux avec l'éclat de la foudre. Sa voix fit trembler les échos de la maison… Puis il s'apaisa tout à coup, lorsque le plus hardi, le plus adroit d'entre eux, son valet de chambre, excusa leur retard en lui disant qu'ils avaient été arrêtés à l'entrée de Montreuil par des gendarmes et des agents de police en quête d'un assassin…

Le colonel se tut soudain ; et, rappelé par ce mot aux devoirs de sa singulière position, il ordonna sèchement à tous ses gens d'aller se coucher aussitôt. Puis, les laissant étonnés de la facilité avec laquelle il admettait le mensonge du valet de chambre, il gagna l'escalier pour retourner au salon.

Mais pendant que ces événements se passaient dans la cour, un incident assez léger en apparence avait changé la situation des autres personnages qui figurent dans cette histoire.

À peine M. de Verdun était-il sorti que sa femme, jetant alternativement les yeux sur la clef de la mansarde et sur Hélène, finit par dire à voix basse en se penchant vers sa fille :

— Hélène… votre père a laissé la clef sur la cheminée…

La jeune fille étonnée leva la tête ; et, regardant timidement sa mère, dont les yeux pétillaient de curiosité :

— Hé bien ! maman… répondit-elle d'une voix troublée.

— Je voudrais bien savoir ce qui se passe là-haut… S'il y a une personne… elle n'a pas encore bougé… Vas-y donc…

— Moi ! dit la jeune fille avec une sorte d'effroi.

— As-tu peur ?…

— Non, madame ; mais — je crois avoir distingué le pas d'un homme…

— Si je pouvais y aller moi-même, je ne vous aurais pas prié de monter, Hélène, reprit sa mère avec un ton de dignité froide… Si votre père rentrait et ne me trouvait pas, il me chercherait peut-être, au lieu qu'il ne s'apercevra pas de votre absence.

— Madame, répondit Hélène, si vous me le commandez, j'irai ; mais je perdrai l'estime de mon père…

— Vraiment !… dit Mme de Verdun avec un accent d'ironie. Puisque vous faites une chose sérieuse d'une plaisanterie, allez voir qui est là-haut… Voici la clef, ma fille ! Votre père, en vous recommandant le silence sur ce qui se passe en ce moment chez lui, ne vous a point interdit de monter à cette chambre. — Allez, et sachez qu'une mère ne doit jamais être jugée par sa fille…

Après avoir prononcé ces dernières paroles avec toute la sévérité d'une mère offensée, Mme de Verdun prit la clef et la remit à Hélène. Celle-ci, se levant sans dire un mot, quitta le salon.

— Ma mère saura toujours bien obtenir son pardon ; mais moi… je serai perdue dans l'esprit de mon père… Veut-elle donc me priver de la tendresse qu'il a pour moi, me chasser de sa maison ?…

Ces idées fermentèrent soudain dans son imagination pendant qu'elle marchait sans lumière le long du corridor, au fond duquel était la porte de la chambre mystérieuse. Quand elle y arriva, le désordre de ses pensées eut quelque chose de fatal. Cette espèce de méditation confuse servit à faire déborder mille sentiments contenus jusque-là dans son cœur. Ne croyant peut-être déjà plus à un heureux avenir, elle acheva, dans ce moment affreux, de désespérer de sa vie. Elle trembla convulsivement en approchant la clef de la serrure ; et son émotion devint même si forte qu'elle s'arrêta un instant pour mettre la main sur son cœur, comme si elle avait le pouvoir d'en calmer les battements profonds et sonores…

Enfin elle ouvrit la porte.

Le cri des gonds avait sans doute vainement frappé l'oreille du meurtrier ; car cet homme, dont l'ouïe était si fine, resta presque collé sur le mur, immobile et comme perdu dans ses pensées… Le cercle de lumière jaillissant de la lanterne l'éclairait faiblement ; et il ressemblait, dans cette zone de clair-obscur, à ces sombres statues de chevaliers, toujours debout à l'encoignure de quelque tombe noire sous les chapelles gothiques… Des gouttes de sueur froide sillonnaient son front jaune et large. Une audace incroyable brillait sur ce visage fortement contracté. Ses yeux de feu, fixes et secs, semblaient contempler un combat dans l'obscurité qui était devant lui. Des pensées tumultueuses passaient rapidement sur cette face, dont l'expression ferme et précise indiquait une âme supérieure. Son corps, son attitude, ses proportions, s'accordaient avec son génie sauvage. Cet homme était toute force et toute puissance, et il envisageait les ténèbres… comme une image de son avenir.

Habitué à voir les figures énergiques des géants qui se pressaient autour de Napoléon, et préoccupé par une curiosité morale, le colonel n'avait pas fait attention aux singularités physiques de cet homme extraordinaire ; mais, sujette comme toutes les femmes aux impressions extérieures, Hélène fut saisie par le mélange de lumière et d'ombre, de grandiose et de passion, par un poétique chaos qui donnaient à l'inconnu l'apparence de Lucifer se relevant de sa chute. Tout à coup la tempête peinte sur ce visage s'apaisa comme par magie ; et l'indéfinissable empire dont l'étranger était, à son insu peut-être, le principe et l'effet, se répandit autour de lui avec la progressive rapidité d'une inondation. Un torrent de pensées découla de son front au moment où ses traits reprirent leurs formes naturelles. Alors, *charmée*, soit par l'étrangeté de cette entrevue, soit par le mystère dans lequel elle pénétrait, la jeune fille put admirer une physionomie douce et pleine d'intérêt.

Elle resta pendant quelque temps dans un prestigieux silence et en proie à des troubles qui jusqu'alors lui étaient inconnus. Mais bientôt, soit qu'Hélène eût laissé échapper une exclamation, eût fait un mouvement, ou que l'assassin, revenant du monde idéal au monde réel, entendît une autre respiration que la sienne, il tourna la tête vers la fille de son hôte ; et à force de regarder dans l'ombre, il y aperçut indistinctement la figure sublime et les formes majestueuses d'une créature qu'il dut prendre pour un ange, à la voir immobile et vague comme une apparition.

— Monsieur… dit-elle d'une voix palpitante.

Le meurtrier tressaillit.

— Une femme ! s'écria-t-il doucement. Est-ce possible ?… Éloignez-vous, reprit-il. Je ne reconnais à personne le droit de me plaindre, de m'absoudre, ou de me condamner… Je dois vivre seul… Allez, mon enfant, ajouta-t-il avec un geste de souverain, je reconnaîtrais mal le service que me rend le maître de cette maison si je laissais une personne d'ici respirer le même air que moi. Il faut me soumettre aux lois du monde que j'habite…

Cette dernière phrase fut prononcée à voix basse.

En achevant d'embrasser par sa profonde intuition les misères évoquées à cette idée mélancolique, il jeta sur Hélène un regard de serpent qui réveilla dans le cœur de cette puissante créature un monde de pensées encore endormi chez elle. Ce fut comme une lumière qui lui aurait éclairé des pays inconnus. Son âme fut terrassée, subjuguée, sans qu'elle trouvât la force de se défendre contre le pouvoir magnétique de ce regard, tout involontairement lancé qu'il était.

Honteuse et tremblante, elle sortit ; et, après avoir fermé la porte, elle revint au salon un moment avant le retour de son père, de sorte qu'elle ne put rien dire à sa mère.

Le colonel, tout préoccupé, se promena silencieusement, les bras croisés, allant d'un pas uniforme des fenêtres qui donnaient sur la rue aux fenêtres du jardin… Sa femme gardait Abel endormi. Moïna, posée comme un oiseau dans son nid, sommeillait insouciante. Gustave continuait à lire. Sa sœur aînée, tenant une pelote de soie d'une main, et, de l'autre, une aiguille, contemplait le feu…

Le profond silence qui régnait au salon, au-dehors et dans la maison, n'était interrompu que par les pas traînants des domestiques, qui allèrent se coucher un à un ; par quelques rires étouffés, dernier écho de leur joie et de la fête nuptiale ; puis encore par les portes de leurs chambres respectives, au moment où ils les ouvraient en se parlant les uns aux autres, et quand ils les fermèrent… Quelques bruits sourds retentirent encore auprès des lits… Une chaise tomba. La toux d'un vieux cocher résonna faiblement et se tut… Mais bientôt la sombre majesté qui éclate dans la nature endormie à minuit domina partout. Les étoiles seules brillaient. Le froid avait saisi la terre… Pas un être ne parla, ne remua… Seulement le feu bruissait, comme pour faire comprendre la profondeur du silence… L'horloge de Montreuil sonna minuit…

— Comment, Gustave ?... dit le colonel en voyant son fils encore assis à la table verte et lisant toujours ; comment, tu es là ?...

En ce moment des pas extrêmement légers retentirent faiblement dans l'étage supérieur. M. de Verdun et sa fille, certains d'avoir enfermé l'assassin de M. de Mauny, attribuant ces mouvements à une des femmes, ne furent pas étonnés d'entendre ouvrir les portes de la pièce qui précédait le salon.

Tout à coup le meurtrier apparut au milieu d'eux !...

La stupeur dans laquelle M. de Verdun était plongé, la vive curiosité de la mère, et l'étonnement de la fille, lui ayant permis d'avancer presque au milieu du salon, il dit au colonel, d'une voix singulièrement calme et mélodieuse :

— Monsieur, les deux heures vont expirer...

— Vous ici !... s'écria le colonel. Par quelle puissance ?...

Et, d'un regard terrible, il interrogea sa femme et ses enfants.

Hélène devint rouge comme le feu.

— Vous, reprit le militaire d'un ton pénétré, vous au milieu de nous... Un assassin couvert de sang ici !... Ah ! vous souillez ce tableau... Sortez, sortez... ajouta-t-il avec un accent de fureur.

Au mot d'assassin, Mme de Verdun jeta un cri perçant. Sa fille pâlit. Gustave regarda l'inconnu d'un air moitié curieux, moitié surpris.

L'étranger resta immobile et froid. Un sourire de dédain se peignit dans ses traits et sur ses larges lèvres rouges ; puis il dit lentement :

— Vous reconnaissez bien mal la noblesse de mes procédés envers vous... Je n'ai pas même voulu toucher de mes mains le verre dans lequel vous m'avez donné de l'eau pour apaiser ma soif... Je n'ai pas même pensé à laver mes mains sanglantes sous votre toit ; et — j'en sors n'y ayant laissé de *mon crime* (à ces mots ses lèvres se comprimèrent) que l'idée, pour ainsi dire, essayant de passer ici sans laisser de traces... Enfin je n'ai pas même permis à votre fille de...

— Ma fille !... s'écria le colonel en jetant sur Hélène un coup d'œil d'horreur. Ah ! malheureux, sors, ou je te livre... ou je te tue...

— Les deux heures ne sont pas tout à fait expirées... Vous ne pouvez ni me tuer, ni me livrer, sans perdre votre estime... et — la mienne.

À ce dernier mot, le vieux militaire stupéfait essaya de contempler le criminel ; mais il fut obligé de baisser les yeux, en se sentant hors d'état de soutenir l'insupportable éclat d'un regard qui, pour la seconde fois, lui désorganisait l'âme... Il craignit de mollir encore, en reconnaissant que sa volonté s'affaiblissait déjà.

— Assassiner un vieillard... vous n'avez donc jamais vu de famille ?... dit-il alors, en lui montrant par un geste paternel sa femme et ses enfants.

— Oui, un vieillard ! répéta l'inconnu dont le front se contracta légèrement.

— L'avoir coupé en morceaux !...

— Je l'ai coupé en morceaux !... reprit l'assassin avec un calme effrayant.

— Fuyez ! s'écria le colonel, sans oser voir son hôte. Notre pacte est rompu. Je ne vous tuerai pas ! Non ! je ne me ferai jamais le pourvoyeur de l'échafaud. Mais sortez, vous nous faites horreur !...

— Je le sais, répondit le criminel avec résignation. Il n'y a pas de terre en France où je puisse poser mes pieds avec sécurité... Adieu, monsieur. Malgré l'amertume que vous avez jetée dans votre hospitalité, j'en garderai le souvenir. J'aurai encore dans l'âme un sentiment de reconnaissance pour un homme dans le monde, ce sera vous... Mais je vous aurais voulu plus généreux.

Il alla vers la porte.

En ce moment la jeune fille se pencha vers sa mère et lui dit un mot à l'oreille.

— Ah !...

Ce cri échappé à Mme de Verdun fit tressaillir le colonel, comme s'il eût vu Moïna morte. Hélène était debout, et le meurtrier s'était instinctivement retourné, montrant sur sa figure une sorte d'inquiétude pour cette famille.

— Qu'avez-vous, ma chère ? demanda M. de Verdun.

— Hélène veut le suivre !... dit-elle.

Le meurtrier rougit.

— Puisque ma mère traduit si mal une exclamation presque involontaire, répondit Hélène à voix basse, je réaliserai ses vœux !...

Et après avoir jeté un regard de fierté presque sauvage autour d'elle, la jeune fille, baissant les yeux, resta dans une admirable attitude de modestie.

— Hélène, vous avez été là-haut dans la chambre où j'avais mis...

— Oui, mon père...

— Hélène, demanda-t-il d'une voix altérée par un tremblement convulsif, était-ce la première fois que vous le voyiez ?

— Oui, mon père.

— Alors il n'est pas naturel que vous ayez le dessein de...

— Si cela n'est pas naturel, au moins cela est vrai, mon père...

— Ah ! ma fille, dit Mme de Verdun à voix basse, mais de manière à ce que son mari l'entendît, Hélène ?... vous mentez à tous les principes d'honneur, de modestie, de vertu que j'ai tâché de développer dans votre cœur... Si vous n'avez été que mensonge jusqu'à cette heure fatale, alors... vous n'êtes point regrettable... Est-ce la perfection morale de cet inconnu qui vous tente ?... Serait-ce l'espèce de puissance nécessaire aux gens qui commettent un crime ?... Je vous estime trop pour supposer...

— Oh ! supposez tout, madame... répondit Hélène d'un ton froid. Mais malgré la force de caractère dont elle faisait preuve en ce moment, le feu de ses yeux absorba difficilement les larmes qui roulaient dans ses yeux bleus.

L'étranger, devinant le langage de la mère par les pleurs qui roulaient dans les yeux de la jeune fille, lança sur Mme de Verdun son coup d'œil d'aigle ; et alors elle fut obligée, par un irrésistible pouvoir, de regarder le terrible séducteur. Quand les yeux de cette faible femme rencontrèrent les yeux clairs et luisants de cet homme, elle éprouva dans l'âme un frisson semblable à la commotion physique dont nous sommes saisis à l'aspect d'un reptile, ou lorsque nous touchons à une bouteille de Leyde[1].

— Mon ami !... cria-t-elle à son mari, c'est le démon !... Il devine tout...

Le colonel se leva pour saisir un cordon de sonnette.

— Il vous perd !... dit Hélène au meurtrier.

L'inconnu sourit. Puis il fit un pas, arrêta le bras de M. de Verdun ; et, le forçant à supporter un

1. En 1746, trois savants hollandais de Leyde, Musschenbroek, Allaman et Cuneus, ont l'idée de prendre une bouteille remplie d'eau dont le bouchon est traversé par une tige métallique plongeant dans le liquide. Cette tige, en forme de crochet à son autre extrémité, est suspendue au conducteur d'une machine électrique. Après avoir séparé la bouteille du conducteur, un des expérimentateurs, en approchant une de ses mains de la tige, reçoit dans les bras et la poitrine une commotion violente. L'abbé Nollet, en France, imagine de remplacer l'eau par des feuilles de clinquant ; il se familiarise avec le phénomène et répète l'expérience à Versailles, avec 180 gardes du roi formant une chaîne : l'ensemble de la compagnie reçoit une commotion.

regard qui versait la stupeur à torrents, il le dépouilla de toute espèce d'énergie.

— Je vais vous payer votre hospitalité, dit-il. Nous serons quittes… Je vous épargnerai un déshonneur en me livrant moi-même… car, après tout, que ferais-je de la vie ?…

— Vous pouvez vous repentir !… répondit Hélène, en lui adressant une de ces espérances qui ne brillent que dans les yeux d'une vierge.

— Je ne me repentirai jamais !… dit le meurtrier d'une voix sonore et en levant fièrement la tête…

— Ses mains sont teintes de sang !… dit le père à sa fille.

— Je les essuierai… répondit-elle.

— Mais, reprit le colonel, sans se hasarder à lui montrer l'inconnu, savez-vous s'il veut de vous, seulement ?…

Alors le meurtrier s'avança vers Hélène, dont la beauté, toute chaste et recueillie qu'elle semblait être, étincelait éclairée par une lumière intérieure dont les reflets coloraient et mettaient en relief, pour ainsi dire, les moindres traits et les lignes les plus délicates. Et après avoir jeté sur cette ravissante créature un doux regard, dont elle ne pouvait pas soutenir la flamme scintillante, il dit, agité d'une vive émotion :

— C'est vous aimer pour vous-même, et m'acquitter des deux heures d'existence que m'a vendues votre père, que de me refuser à votre dévouement.

— Et vous aussi, vous me repoussez !… s'écria Hélène avec un accent qui déchira les cœurs.

— Qu'est-ce que cela signifie ?... lui dirent ensemble son père et sa mère...

Elle resta silencieuse et baissa les yeux, après avoir interrogé Mme de Verdun par un coup d'œil éloquent.

Depuis le moment où M. et Mme de Verdun avaient essayé de repousser, par la parole ou par l'action, l'étrange privilège que l'inconnu s'arrogeait en restant au milieu d'eux, et que ce dernier leur avait lancé l'étourdissante lumière qui jaillissait de ses yeux, les deux époux étaient soumis à une torpeur inexplicable. Ils se débattaient, aidés par leur raison engourdie, contre une puissance surnaturelle. L'air leur devint lourd et pesant. Ils respiraient difficilement et sans pouvoir accuser celui qui les opprimait ainsi, quoiqu'une voix intérieure ne leur laissât pas ignorer que cet homme magique était le principe de leur défaillance. Gustave lui-même restait immobile et stupéfait.

Au milieu de cette agonie morale, le colonel, devinant que ses efforts devaient avoir pour objet d'influencer la raison chancelante de sa fille, saisit Hélène par la taille ; et, la transportant dans l'embrasure d'une croisée, bien loin du meurtrier :

— Mon enfant chéri, lui dit-il à voix basse, si un amour aussi étrange était né tout à coup dans ton cœur, ta vie pleine d'innocence et ton âme pure et pieuse m'ont donné trop de preuves d'une raison supérieure, d'une force de caractère que tu tiens peut-être de moi, pour ne pas te supposer l'énergie nécessaire à dompter un mouvement de folie… Mais ta conduite cache un mystère… Eh bien, mon cœur est un cœur plein d'indulgence ; tu peux tout lui confier. Quand même tu le déchirerais, je saurai, mon enfant, taire mes souffrances et garder un silence fidèle à ta confession… Voyons ? Es-tu jalouse de notre affection pour tes frères ou tes sœurs ?… As-tu dans l'âme un chagrin d'amour ?… Es-tu malheureuse ici ?… Parle ! Confie-moi les raisons qui te poussent à laisser ta famille, à l'abandonner, à la priver de son plus grand charme, à quitter ta mère, tes frères, ta petite sœur ?…

— Mon père, répondit-elle, ne dois-je pas, tôt ou tard, aller vivre sous la protection d'un homme ?

— Cela est vrai.

— Savons-nous jamais, reprit-elle, à quel être nous lions nos destinées ? Et — je crois en cet homme.

— Enfant !… dit le colonel en élevant la voix, tu ne songes pas à toutes les souffrances qui vont t'assaillir ?…

— Je pense aux siennes…

— Quelle vie !… dit le père…

— Une vie de femme !… répondit la fille en murmurant.

— Vous êtes bien savante !… s'écria Mme de Verdun, qui retrouva la parole.

— Madame, ce sont les demandes qui me dictent les réponses.

— Oh ! ma fille, vous justifiez tous les soupçons que j'avais conçus et qui cousaient ma sévérité... Suivre un homme que tout le monde fuit avec horreur...

— Vous voyez bien, madame, que sans moi... il serait seul...

— Assez, madame !... s'écria le colonel ; nous n'avons plus qu'une fille !...

Et il regarda Moïna, qui dormait toujours...

— Je vous enfermerai dans un couvent, ajouta-t-il en se retournant vers Hélène.

— Soit ! mon père, répondit-elle avec un calme désespérant, j'y mourrai. Vous n'êtes comptable de ma vie et de *son* âme qu'à Dieu !...

Un profond silence régna. Les spectateurs de cette scène, où tout froissait les sentiments vulgaires de la vie sociale, n'osaient se regarder...

Tout à coup M. de Verdun, apercevant ses pistolets, en saisit un ; et, l'armant avec prestesse, il le dirigea sur l'étranger. Mais celui-ci, s'étant retourné au bruit qu'avait fait la batterie, arrêta un regard calme et perçant sur le colonel, dont le bras, détendu par une invincible mollesse, retomba lourdement. Le pistolet coula sur le tapis...

— Ma fille ! dit alors le père abattu par cette lutte effroyable, vous êtes libre... Embrassez votre mère, si elle y consent. — Quant à moi... je ne veux plus ni vous voir ni vous entendre...

— Hélène, dit la mère à la jeune fille, pensez donc que vous serez dans la misère...

Une espèce de râle, parti de la large poitrine du meurtrier, attira les regards sur lui. Une expression dédaigneuse était peinte sur sa figure. Il y avait une immense fortune dans son énergie, et ses yeux lancèrent comme un rayon de soleil.

— L'hospitalité que je vous ai donnée me coûte cher !… s'écria le colonel en se levant. — Vous n'avez tué, tout à l'heure, qu'un vieillard ; ici vous assassinez toute une famille !… Car, quoi qu'il arrive, il y aura du malheur dans cette maison !…

— Et si votre fille est heureuse !… demanda le meurtrier en regardant fixement le militaire…

— Si elle est heureuse avec vous !… répondit le père en faisant un incroyable effort, je ne la regretterai pas !…

Hélène, s'agenouillant timidement devant son père, lui dit d'une voix caressante :

— Ô mon père, je vous aime et vous vénère, soit que vous me prodiguiez les trésors de votre bonté, ou les rigueurs de la disgrâce… Mais, je vous en supplie, que vos dernières paroles ne soient pas des paroles de colère !…

Le colonel n'osa pas contempler sa fille.

En ce moment l'étranger s'avança, et jetant sur Hélène un sourire où il y avait à la fois quelque chose d'infernal et de céleste :

— Vous qu'un assassin n'épouvante pas… ange de miséricorde… dit-il, venez !… puisque vous persistez à me confier votre destinée.

— Inconcevable !… s'écria le père.

Mme de Verdun lança sur sa fille un regard extraordinaire, et lui ouvrit ses bras. Hélène s'y précipita en pleurant...

— Adieu !... dit-elle, adieu, ma mère...

Hélène fit hardiment un signe à l'étranger, qui tressaillit. Alors la jeune fille, ayant baisé la main de son père, embrassé précipitamment Moïna, Gustave et le petit Abel, disparut avec le meurtrier.

— Par où vont-ils ?... s'écria le colonel en écoutant les pas des deux fugitifs.

— Madame, dit le colonel à sa femme, je crois rêver... mais il y a certainement quelque mystère dans cette aventure... Vous devez savoir...

Mme de Verdun frissonna.

— Il y a, répondit-elle, que votre fille était devenue extraordinairement romanesque et singulièrement exaltée. Malgré mes soins à combattre cette tendance de son caractère...

— Cela n'est pas clair...

Mais, croyant entendre, dans le jardin, les pas de sa fille et de son terrible compagnon, le colonel s'interrompit pour ouvrir précipitamment la croisée.

— Hélène ! cria-t-il...

Cette voix se perdit dans la nuit comme une inutile prophétie...

En prononçant ce nom, auquel rien ne répondait plus dans le monde, M. de Verdun rompit, comme par enchantement, le charme auquel une puissance diabolique l'avait soumis. Alors une sorte d'esprit lui passa sur la face. Il vit clairement la scène qui venait de se passer ; et, maudissant sa faiblesse, qu'il ne comprenait pas, un frisson chaud alla de son cœur à sa tête, à ses pieds. Il redevint lui-même, terrible, affamé de vengeance. Il poussa un effroyable cri.

— Au secours !… au secours !…

Courant aux cordons des sonnettes, il les agita de manière à les briser, après avoir fait retentir des tintements étranges. Tous ses gens s'éveillèrent en sursaut. Pour lui, criant toujours, il ouvrit les fenêtres de la rue, appela les gendarmes ; puis, ayant trouvé ses pistolets, il les tira pour accélérer la marche des cavaliers, le lever de ses gens et la venue des voisins.

Reconnaissant la voix de leur maître, les chiens aboyèrent, les chevaux hennirent et piaffèrent. Ce fut un tumulte affreux au milieu de cette nuit calme.

En descendant par les escaliers pour courir après sa fille, le colonel vit ses gens épouvantés qui arrivaient de toutes parts.

— Ma fille !… Hélène ! — Hélène est enlevée ? — Allez dans le jardin ! — Gardez la rue !… ouvrez à la gendarmerie… À l'assassin !…

Aussitôt, il brisa par un effort de rage la chaîne qui retenait le gros chien de garde.

— Trouve Hélène !… cherche Hélène !… lui dit-il.

Et le chien, bondissant comme un lion et aboyant avec fureur, s'élança dans le jardin si rapidement que le colonel ne put le suivre.

En ce moment le galop des chevaux retentissant dans la rue, M. de Verdun s'empressa d'ouvrir lui-même.

— Brigadier !... s'écria-t-il, allez couper la retraite à l'assassin de M. de Mauny ! Ils s'en vont par mes jardins... Vite, cernez les chemins du côté de la butte de Picardie, je vais faire une battue dans toutes les terres, les parcs, les maisons.

— Vous autres... dit-il à ses gens, veillez sur la rue et tenez la ligne depuis la barrière jusqu'à Versailles... En avant ! en avant !... Ma fille !...

Il se saisit d'un fusil que lui présenta son valet de chambre, et il s'élança dans les jardins en criant au chien :

— Cherche, Marengo ! Marengo, trouve Hélène !...

D'affreux aboiements lui répondirent dans le lointain ; et alors il se dirigea dans la direction d'où les râlements du chien paraissaient venir. . . . .

. . . .

À sept heures du matin, les recherches de la gendarmerie, du colonel, de ses gens et des voisins avaient été inutiles... Marengo n'était pas revenu.

Harassé de fatigue, et vieilli de dix ans par le chagrin, M. de Verdun rentra dans son salon, désert pour lui, quoique ses trois autres enfants y fussent...

— Vous avez été bien froide pour votre fille !... dit-il en regardant sa femme. Voilà donc son métier, et cette fleur commencée... Elle était là... tout à l'heure... et — maintenant, perdue !... perdue.

Il pleura. Et, se cachant la tête dans ses mains, il resta un moment silencieux, n'osant plus contempler ce salon qui naguère lui offrait le tableau le plus suave du bonheur domestique. Les lueurs de l'aurore luttaient avec les lampes, qui expiraient ; les bougies brûlaient leurs festons de papier... tout s'accordait avec le désespoir de ce soldat...

— Il faudra brûler ceci, dit-il après un moment de silence et en montrant le métier. Je ne pourrai plus rien voir de ce qui la rappelle...

MICHEL TOURNIER

La fugue du petit Poucet *

Conte de Noël

Ce soir-là, le commandant Poucet paraissait décidé à en finir avec les airs mystérieux qu'il prenait depuis plusieurs semaines, et à dévoiler ses batteries.

— Eh bien voilà, dit-il au dessert après un silence de recueillement. On déménage. Bièvres, le pavillon de traviole, le bout de jardin avec nos dix salades et nos trois lapins, c'est terminé !

Et il se tut pour mieux observer l'effet de cette révélation formidable sur sa femme et son fils. Puis il écarta les assiettes et les couverts, et balaya du tranchant de la main les miettes de pain qui parsemaient la toile cirée.

— Mettons que vous ayez ici la chambre à coucher. Là, c'est la salle de bains, là, le living, là, la cuisine, et deux autres chambres s'il vous plaît. Soixante mètres carrés avec les placards, la moquette, les installations sanitaires et l'éclairage au néon. Un

* Extrait de *Le Coq de bruyère* (Folio n° 1229).

truc inespéré. Vingt-troisième étage de la tour Mercure. Vous vous rendez compte ?

Se rendaient-ils compte vraiment ? Mme Poucet regardait d'un air apeuré son terrible mari, puis dans un mouvement de plus en plus fréquent depuis quelque temps, elle se tourna vers petit Pierre, comme si elle s'en remettait à lui pour affronter l'autorité du chef des bûcherons de Paris.

— Vingt-troisième étage ! Eh ben ! Vaudra mieux pas oublier les allumettes ! observa-t-il courageusement.

— Idiot ! répliqua Poucet, il y a quatre ascenseurs ultra-rapides. Dans ces immeubles modernes, les escaliers sont pratiquement supprimés.

— Et quand il y aura du vent, gare aux courants d'air !

— Pas question de courants d'air ! Les fenêtres sont vissées. Elles ne s'ouvrent pas.

— Alors, pour secouer mes tapis ? hasarda Mme Poucet.

— Tes tapis, tes tapis ! Il faudra perdre tes habitudes de campagnarde, tu sais. Tu auras ton aspirateur. C'est comme ton linge. Tu ne voudrais pas continuer à l'étendre dehors pour le faire sécher !

— Mais alors, objecta Pierre, si les fenêtres sont vissées, comment on respire ?

— Pas besoin d'aérer. Il y a l'air conditionné. Une soufflerie expulse jour et nuit l'air usé et le remplace par de l'air puisé sur le toit, chauffé à la température voulue. D'ailleurs, il faut bien que les fenêtres soient vissées puisque la tour est insonorisée.

— Insonorisée à cette hauteur ? Mais pourquoi ?

— Tiens donc, à cause des avions ! Vous vous rendez compte qu'on sera à mille mètres de la nouvelle piste de Toussus-le-Noble. Toutes les quarante-cinq secondes, un jet frôle le toit. Heureusement qu'on est bouclé ! Comme dans un sous-marin... Alors voilà, tout est prêt. On va pouvoir emménager avant le 25. Ce sera votre cadeau de Noël. Une veine, non ?

Mais tandis qu'il se verse un rabiot de vin rouge pour finir son fromage, petit Pierre étale tristement dans son assiette la crème caramel dont il n'a plus bien envie tout à coup.

— Ça, mes enfants, c'est la vie moderne, insiste Poucet. Faut s'adapter ! Vous ne voulez tout de même pas qu'on moisisse éternellement dans cette campagne pourrie ! D'ailleurs le président de la République l'a dit lui-même : *Il faut que Paris s'adapte à l'automobile, un certain esthétisme dût-il en souffrir.*

— Un certain esthétisme, c'est quoi ? demande Pierre.

Poucet passe ses doigts courts dans la brosse noire de ses cheveux. Ces gosses, toujours la question stupide !

— L'esthétisme, l'esthétisme... euh... eh bien, c'est les arbres ! finit-il par trouver avec soulagement. *Dût-il en souffrir*, ça veut dire qu'il faut les abattre. Tu vois, fiston, le Président, il faisait allusion comme ça à mes hommes et à moi. Un bel hommage aux bûcherons de Paris. Et un hommage mérité ! Parce que sans nous, hein, les grandes avenues et les parkings, pas question avec tous ces arbres. C'est que Paris, sans en avoir l'air, c'est plein d'arbres. Une vraie forêt, Paris ! Enfin, c'était… Parce qu'on est là pour un coup, nous les bûcherons. Une élite, oui. Parce que, pour la finition, on est orfèvres, nous. Tu crois que c'est facile d'abattre un platane de vingt-cinq mètres en pleine ville sans rien abîmer autour ?

Il est lancé. Plus rien ne l'arrêtera. Mme Poucet se lève pour faire la vaisselle, tandis que Pierre fixe sur son père un regard figé qui simule une attention passionnée.

— Les grands peupliers de l'île Saint-Louis et ceux de la place Dauphine, en rondelles de saucisson qu'il a fallu les couper, et descendre les billots un par un avec des cordes. Et tout ça sans casser une vitre, sans défoncer une voiture. On a même eu droit aux félicitations du Conseil de Paris. Et c'est justice. Parce que le jour où Paris sera devenu un écheveau d'autoroutes et de toboggans que des milliers de voitures pourront traverser à cent à l'heure dans toutes les directions, hein, c'est à qui qu'on devra ça d'abord ? Aux bûcherons qu'auront fait place nette !

— Et mes bottes ?

— Quelles bottes ?

— Celles que tu m'avais promises pour Noël ?

— Des bottes, moi ? Oui, bien sûr. Des bottes, c'est très bien ici pour patauger dans le jardin. Mais dans un appartement, c'est pas possible. Et les voisins du dessous, qu'est-ce qu'ils diraient ? Tiens, je vais te faire une proposition. Au lieu de bottes, j'achète une télévision en couleurs. C'est autre chose, ça, non ? Tu veux, hein, tope là !

Et il lui prend la main avec son bon sourire franc et viril de commandant des bûcherons de Paris.

Je ne veux pas d'éclairage au néant, ni d'air contingenté. Je préfère les arbres et les bottes. Adieu pour toujours. Votre fils unique. Pierre.

« Ils vont encore dire que j'ai une écriture de bébé », pense Pierre avec dépit, en relisant son billet d'adieu. Et l'orthographe ? Rien de tel qu'une grosse faute bien ridicule pour enlever toute dignité à un message, fût-il pathétique. Bottes. Cela prend-il bien deux *t* ? Oui sans doute puisqu'il y a deux bottes.

Le billet est plié à cheval en évidence sur la table de la cuisine. Ses parents le trouveront en rentrant de chez les amis où ils passent la soirée. Lui, il sera loin. Tout seul ? Pas exactement. Il traverse le petit jardin, et, un cageot sous le bras, il se dirige vers le clapier où il élève trois lapins. Les lapins non plus n'aiment pas les tours de vingt-trois étages.

Le voici au bord de la grand-route, la nationale 306 qui mène dans la forêt de Rambouillet. Car c'est là qu'il veut aller. Une idée vague, évidemment. Il a vu lors des dernières vacances un rassemblement de caravanes autour de l'étang du village de Vieille-Église. Peut-être certaines caravanes sont-elles encore là, peut-être qu'on voudra bien de lui…

La nuit précoce de décembre est tombée. Il marche sur le côté droit de la route, contrairement aux recommandations qu'on lui a toujours faites, mais l'auto-stop a ses exigences. Malheureusement les voitures ont l'air bien pressées en cette avant-veille de Noël. Elles passent en trombe sans même mettre leurs phares en code. Pierre marche longtemps, longtemps. Il n'est pas fatigué encore, mais le cageot passe de plus en plus souvent de son bras droit à son bras gauche, et retour. Enfin voilà un îlot de lumière vive, des couleurs, du bruit. C'est une station-service avec un magasin plein de gadgets. Un gros semi-remorque est arrêté près d'une pompe à fuel. Pierre s'approche du chauffeur.

— Je vais vers Rambouillet. Je peux monter ?

Le chauffeur le regarde avec méfiance.

— T'es pas en cavale au moins ?

Là, les lapins ont une idée géniale. L'un après l'autre, ils sortent leur tête du cageot. Est-ce qu'on emporte des lapins vivants dans un cageot quand on fait une fugue ? Le chauffeur est rassuré.

— Allez oust ! Je t'emmène !

C'est la première fois que Pierre voyage dans un poids lourd. Comme on est haut perché ! On se croirait sur le dos d'un éléphant. Les phares font surgir de la nuit des pans de maisons, des fantômes d'arbres, des silhouettes fugitives de piétons et de cyclistes. Après Christ-de-Saclay, la route devient plus étroite, plus sinueuse. On est vraiment à la campagne. Saint-Rémy, Chevreuse, Cernay. Ça y est, on entre dans la forêt.

— Je descends à un kilomètre, prévient Pierre au hasard.

En vérité il n'en mène pas large, et il a l'impression qu'en quittant le camion, il va abandonner un bateau pour se jeter à la mer. Quelques minutes plus tard, le camion se range au bord de la route.

— Je ne peux pas stationner longtemps ici, explique le chauffeur. Allez hop ! Tout le monde descend !

Mais il plonge encore la main sous son siège et en tire une bouteille thermos.

— Un coup de vin chaud si tu veux avant qu'on se quitte. C'est ma vieille qui me met toujours ça. Moi je préfère le petit blanc sec.

Le liquide sirupeux brûle et sent la cannelle, mais c'est tout de même du vin, et Pierre est un peu saoul quand le camion s'ébranle en soufflant, crachant et mugissant. « Vraiment, oui, un éléphant, pense Pierre en le regardant s'enfoncer dans la nuit. Mais à cause des girandoles et des feux rouges, un éléphant qui serait en même temps un arbre de Noël. »

L'arbre de Noël disparaît dans un tournant, et la nuit se referme sur Pierre. Mais ce n'est pas une nuit tout à fait noire. Le ciel nuageux diffuse une vague phosphorescence. Pierre marche. Il pense qu'il faut tourner à droite dans un chemin pour gagner l'étang. Justement voilà un chemin, mais à gauche. Ah tant pis ! Il n'est sûr de rien. Va pour la gauche. Ça doit être ce vin chaud. Il n'aurait pas dû. Il tombe de sommeil. Et ce maudit cageot qui lui scie la hanche. S'il se reposait une minute sous un arbre ? Par exemple sous ce grand sapin qui a semé autour de lui un tapis d'aiguilles à peu près sec ? Tiens on va sortir les lapins. Ça tient chaud des lapins vivants. Ça remplace une couverture. C'est une couverture vivante. Ils se mussent contre Pierre en enfonçant leur petit museau dans ses vêtements. « Je suis leur terrier, pense-t-il en souriant. Un terrier vivant. »

Des étoiles dansent autour de lui avec des exclamations et des rires argentins. Des étoiles ? Non, des lanternes. Ce sont des gnomes qui les tiennent. Des gnomes ? Non, des petites filles. Elles se pressent autour de Pierre.

— Un petit garçon ! Perdu ! Abandonné ! Endormi ! Il se réveille. Bonjour ! Bonsoir ! Hi, hi, hi ! Comment tu t'appelles ? Moi c'est Nadine, et moi Christine, Carine, Aline, Sabine, Ermeline, Delphine…

Elles pouffent en se bousculant, et les lanternes dansent de plus belle. Pierre tâte autour de lui. Le cageot est toujours là, mais les lapins ont disparu. Il se lève. Les sept petites filles l'entourent, l'entraînent, impossible de leur résister.

— Notre nom de famille, c'est Logre. On est des sœurs.

Nouveau fou rire qui secoue les sept lanternes.

— On habite à côté. Tiens, tu vois cette lumière dans les arbres ? Et toi ? Tu viens d'où ? Comment tu t'appelles ?

C'est la seconde fois qu'elles lui demandent son nom. Il articule : « Pierre. » Elles s'écrient toutes ensemble : « Il sait parler ! Il parle ! Il s'appelle Pierre ! Viens, on va te présenter à Logre. »

La maison est toute en bois, sauf un soubassement de meulière. C'est une construction vétuste et compliquée qui résulte, semble-t-il, de l'assemblage maladroit de plusieurs bâtiments. Mais Pierre est poussé déjà dans la grande pièce commune. Il n'y voit tout d'abord qu'une cheminée monumentale où flambent des troncs d'arbre. La gauche du brasier est masquée par un grand fauteuil d'osier, un véritable trône, mais un trône léger, aérien, adorné de boucles, de ganses, de croisillons, de rosaces, de corolles à travers lesquels brillent les flammes.

— Ici on mange, on chante, on danse, on se raconte des histoires, commentent sept voix en même temps. Là, à côté, c'est notre chambre. Ce lit, c'est pour tous les enfants. Vois comme il est grand.

En effet, Pierre n'a jamais vu un lit aussi large, carré exactement, avec un édredon gonflé comme un gros ballon rouge. Au-dessus du lit, comme pour inspirer le sommeil, une inscription brodée dans un cadre : *Faites l'amour, ne faites pas la guerre*. Mais les sept diablesses entraînent Pierre dans une autre pièce, un vaste atelier qui sent la laine et la cire, et qui est tout encombré par un métier à tisser de bois clair.

— C'est là que maman fait ses tissus. Maintenant, elle est partie les vendre en province. Nous, on l'attend avec papa.

Drôle de famille, pense Pierre. C'est la mère qui travaille pendant que le père garde la maison !

Les voici tous à nouveau devant le feu de la salle commune. Le fauteuil remue. Le trône aérien était donc habité. Il y avait quelqu'un entre ses bras recourbés comme des cols de cygne.

— Papa, c'est Pierre !

Logre s'est levé, et il regarde Pierre. Comme il est grand ! Un vrai géant des bois ! Mais un géant mince, flexible, où tout n'est que douceur, ses longs cheveux blonds serrés par un lacet qui lui barre le front, sa barbe dorée, annelée, soyeuse, ses yeux bleus et tendres, ses vêtements de peau couleur de miel auxquels se mêlent des bijoux d'argent ciselés, des chaînes, des colliers, trois ceinturons dont les boucles se superposent, et surtout, ah ! surtout, ses bottes, de hautes bottes molles de daim fauve qui lui montent jusqu'aux genoux, elles aussi couvertes de gourmettes, d'anneaux, de médailles.

Pierre est saisi d'admiration. Il ne sait quoi dire, il ne sait plus ce qu'il dit. Il dit : « Vous êtes beau comme... » Logre sourit. Il sourit de toutes ses dents blanches, mais aussi de tous ses colliers, de son gilet brodé, de sa culotte de chasseur, de sa chemise de soie, et surtout, ah ! surtout de ses hautes bottes.

— Beau comme quoi ? insiste-t-il.

Affolé, Pierre cherche un mot, le mot qui exprimera le mieux sa surprise, son émerveillement.

— Vous êtes beau comme une femme ! finit-il par articuler dans un souffle.

Le rire des petites filles éclate, et aussi le rire de Logre, et finalement le rire de Pierre, heureux de se fondre ainsi dans la famille.

— Allons manger, dit Logre.

Quelle bousculade autour de la table, car toutes les filles veulent être à côté de Pierre !

— Aujourd'hui, c'est Sabine et Carine qui servent, rappelle Logre avec douceur.

À part les carottes râpées, Pierre ne reconnaît aucun des plats que les deux sœurs posent sur la table et dans lesquels tout le monde se met aussitôt à puiser librement. On lui nomme la purée d'ail, le riz complet, les radis noirs, le sucre de raisin, le conflit de plancton, le soja grillé, le rutabaga bouilli, et d'autres merveilles qu'il absorbe les yeux fermés en les arrosant de lait cru et de sirop d'érable. De confiance, il trouve tout délicieux.

Ensuite les huit enfants s'assoient en demi-cercle autour du feu, et Logre décroche de la hotte de la cheminée une guitare dont il tire d'abord quelques accords tristes et mélodieux. Mais lorsque le chant s'élève, Pierre tressaille de surprise et observe attentivement le visage des sept sœurs. Non, les filles écoutent, muettes et attentives. Cette voix fluette, ce soprano léger qui monte sans effort jusqu'aux trilles les plus aigus, c'est bien de la silhouette noire de Logre qu'il provient.

Sera-t-il jamais au bout de ses surprises ? Il faut croire que non, car les filles font circuler les cigarettes et sa voisine — est-ce Nadine ou Ermeline ? — en allume une qu'elle lui glisse sans façon entre les lèvres. Des cigarettes qui ont une drôle d'odeur, un peu âpre, un peu sucrée à la fois, et dont la fumée vous rend léger, léger, aussi léger qu'elle-même, flottant en nappes bleues dans l'espace noir.

Logre pose sa guitare contre son fauteuil, et il observe un long silence méditatif. Enfin il commence à parler d'une voix éteinte et profonde.

— Écoutez-moi, dit-il. Ce soir, c'est la nuit la plus longue de l'année. Je vais donc vous parler de ce qu'il y a de plus important au monde. Je vais vous parler des arbres.

Il se tait encore longuement, puis il reprend.

— Écoutez-moi. Le Paradis, qu'est-ce que c'était ? C'était une forêt. Ou plutôt un bois. Un bois, parce que les arbres y étaient plantés proprement, assez loin les uns des autres, sans taillis ni buissons d'épines. Mais surtout parce qu'ils étaient chacun d'une essence différente. Ce n'était pas comme maintenant. Ici par exemple, on voit des centaines de bouleaux succéder à des hectares de sapins. De quelles essences s'agissait-il ? D'essences oubliées, inconnues, extraordinaires, miraculeuses qui ne se rencontrent plus sur la terre, et vous allez savoir pourquoi. En effet chacun de ces arbres avait ses fruits, et chaque sorte de fruit possédait une vertu magique particulière. L'un donnait la connaissance du bien et du mal. C'était le numéro un du Paradis. Le numéro deux conférait la vie éternelle. Ce n'était pas mal non plus. Mais il y avait tous les autres, celui qui apportait la force, celui qui douait du pouvoir créateur, ceux grâce auxquels on acquérait la sagesse, l'ubiquité, la beauté, le courage, l'amour, toutes les qualités et les vertus qui sont le privilège de Yahvé. Et ce privilège, Yahvé entendait bien le garder pour lui seul. C'est pourquoi il dit à Adam : « Si tu manges du fruit de l'arbre numéro un, tu mourras. »

« Yahvé disait-il la vérité ou mentait-il ? Le serpent prétendait qu'il mentait. Adam n'avait qu'à essayer. Il verrait bien s'il mourrait ou si au contraire il connaîtrait le bien et le mal. Comme Yahvé lui-même.

« Poussé par Ève, Adam se décide. Il mord dans le fruit. Et il ne meurt pas. Ses yeux s'ouvrent au contraire, et il connaît le bien et le mal. Yahvé avait donc menti. C'est le serpent qui disait vrai.

« Yahvé s'affole. Maintenant qu'il n'a plus peur, l'homme va manger de tous les fruits interdits, et d'étape en étape, il va devenir un second Yahvé. Il pare au plus pressé en plaçant un Chérubin à l'épée de feu tournoyante devant l'arbre numéro deux, celui qui donne la vie éternelle. Ensuite il fait sortir Adam et Ève du Bois magique, et il les exile dans un pays sans arbres.

« Voici donc la malédiction des hommes : ils sont sortis du règne végétal. Ils sont tombés dans le règne animal. Or, qu'est-ce que le règne animal ? C'est la chasse, la violence, le meurtre, la peur. Le règne végétal, au contraire, c'est la calme croissance dans une union de la terre et du soleil. C'est pourquoi toute sagesse ne peut se fonder que sur une méditation de l'arbre, poursuivie dans une forêt par des hommes végétariens…

Il se lève pour jeter des bûches dans le feu. Puis il reprend sa place, et après un long silence :

— Écoutez-moi, dit-il. Qu'est-ce qu'un arbre ? Un arbre, c'est d'abord un certain équilibre entre une ramure aérienne et un enracinement souterrain. Cet équilibre purement mécanique contient à lui seul toute une philosophie. Car il est clair que la ramure ne peut s'étendre, s'élargir, embrasser un morceau de ciel de plus en plus vaste qu'autant que les racines plongent plus profond, se divisent en radicules et radicelles de plus en plus nombreuses pour ancrer plus solidement l'édifice. Ceux qui connaissent les arbres savent que certaines variétés — les cèdres notamment — développent témérairement leur ramure au-delà de ce que peuvent assurer leurs racines. Tout dépend alors du site où se dresse l'arbre. S'il est exposé, si le terrain est meuble et léger, il suffit d'une tempête pour faire basculer le géant. Ainsi voyez-vous, plus vous voulez vous élever, plus il faut avoir les pieds sur terre. Chaque arbre vous le dit.

« Ce n'est pas tout. L'arbre est un être vivant, mais d'une vie toute différente de celle de l'animal. Quand nous respirons, nos muscles gonflent notre poitrine qui s'emplit d'air. Puis nous expirons. Aspirer, expirer, c'est une décision que nous prenons tout seuls, solitairement, arbitrairement ; sans nous occuper du temps qu'il fait, du vent qui souffle, ni du soleil ni de rien. Nous vivons coupés du reste du monde, ennemis du reste du monde. Au contraire regardez l'arbre. Ses poumons, ce sont ses feuilles. Elles ne changent d'air que si l'air veut bien se déplacer. La respiration de l'arbre, c'est le vent. Le coup de vent est le mouvement de l'arbre, mouvement de ses feuilles, tigelles, tiges, rameaux, branchettes, branches et enfin mouvement du tronc. Mais il est aussi aspiration, expiration, transpiration. Et il y faut aussi le soleil, sinon l'arbre ne vit pas. L'arbre ne fait qu'un avec le vent et le soleil. Il tète directement sa vie à ces deux mamelles du cosmos, vent et soleil. Il n'est que cette attente. Il n'est qu'un immense réseau de feuilles tendu dans l'attente du vent et du soleil. L'arbre est un piège à vent, un piège à soleil. Quand il remue en bruissant et en laissant fuir des flèches de lumière de toutes parts, c'est que ces deux gros poissons, le vent et le soleil, sont venus se prendre au passage dans son filet de chlorophylle…

Logre parle-t-il vraiment ou bien ses pensées se transmettent-elles silencieusement sur les ailes bleues des drôles de cigarettes que tout le monde continue à fumer ? Pierre ne pourrait le dire. En vérité, il flotte dans l'air comme un grand arbre — un marronnier, oui, pourquoi justement un marronnier, il n'en sait rien, mais c'est sûrement cet arbre-là — et les paroles de Logre viennent habiter ses branches avec un bruissement lumineux.

Que se passe-t-il ensuite ? Il revoit comme dans un rêve le grand lit carré et une quantité de vêtements volant à travers la chambre — des vêtements de petites filles et ceux aussi d'un petit garçon — et une bruyante bousculade accompagnée de cris joyeux. Et puis la nuit douillette sous l'énorme édredon, et ce grouillis de corps mignons autour de lui, ces quatorze menottes qui lui font des caresses si coquines qu'il en étouffe de rire…

Une lueur sale filtre par les fenêtres. Soudain on entend des stridences de sifflets à roulette. On frappe des coups sourds à la porte. Les petites filles se dispersent comme une volée de moineaux, laissant Pierre tout seul dans le grand lit éventré. Les coups redoublent, on croirait entendre ceux d'une cognée sur le tronc d'un arbre condamné.

— Police ! Ouvrez immédiatement !

Pierre se lève et s'habille à la hâte.

— Bonjour, Pierre.

Il se retourne, reconnaissant la voix douce et chantante qui l'a bercé toute la nuit. Logre est devant lui. Il n'a plus ses vêtements de peau, ni ses bijoux, ni son lacet autour du front. Il est pieds nus dans une longue tunique de toile écrue, et ses cheveux séparés au milieu par une raie tombent librement sur ses épaules.

— Les soldats de Yahvé viennent m'arrêter, dit-il gravement. Mais demain, c'est Noël. Avant que la maison ne soit mise à sac, viens choisir, en souvenir de moi, un objet qui t'accompagnera dans le désert.

Pierre le suit dans la grande pièce où le manteau de la cheminée n'abrite plus qu'un tas de cendre froide. D'un geste vague, Logre lui désigne épars sur la table, sur les chaises, pendus au mur, jonchant le sol, des objets étranges et poétiques, tout un trésor pur et sauvage. Mais Pierre n'a pas un regard pour la dague ciselée, ni pour les boucles de ceinturon, ni pour le gilet de renard, ni pour les diadèmes, les colliers et les bagues. Non, il ne voit que la paire de bottes, posée presque sous la table et dont la haute tige retombe gauchement sur le côté comme des oreilles d'éléphant.

— Elles sont beaucoup trop grandes pour toi, lui dit Logre, mais ça ne fait rien. Cache-les sous ton manteau. Et lorsque tu t'ennuieras trop chez toi, ferme ta chambre à clé, chausse-les, et laisse-toi emporter par elles au pays des arbres.

C'est alors que la porte s'ouvre avec fracas et que trois hommes se ruent à l'intérieur. Ils sont en uniforme de gendarme, et Pierre n'est pas surpris de voir accourir derrière eux le commandant des bûcherons de Paris.

— Alors le trafic et l'usage de drogue, ça ne te suffit plus maintenant ? aboie l'un des gendarmes à la face de Logre. Il faut que tu te rendes coupable de détournement de mineur en plus ?

Logre se contente de lui tendre ses poignets. Les menottes claquent. Cependant Poucet aperçoit son fils.

— Ah te voilà, toi ! J'en étais sûr ! Va m'attendre dans la voiture, et que ça saute !

Puis il se lance dans une inspection furibonde et écœurée des lieux.

— Les arbres, ça fait pulluler les champignons et les vices. Rien que le bois de Boulogne, vous savez ce que c'est ? Un lupanar à ciel ouvert ! Tenez, regardez ce que je viens de trouver !

Le capitaine de gendarmerie se penche sur le cadre brodé : *Faites l'amour, ne faites pas la guerre !*

— Ça, admet-il, c'est une pièce à conviction : incitation de mineur à la débauche et entreprise de démoralisation de l'armée ! Quelle saleté !

Au vingt-troisième étage de la tour Mercure, Poucet et sa femme regardent sur leur récepteur de télévision en couleurs des hommes et des femmes coiffés de chapeaux de clowns qui s'envoient à la figure des confetti et des serpentins. C'est le réveillon de Noël.

Pierre est seul dans sa chambre. Il tourne la clé dans la serrure, puis il tire de sous son lit deux grandes bottes molles de peau dorée. Ce n'est pas difficile de les chausser, elles sont tellement trop grandes pour lui ! Il serait bien empêché de marcher, mais il ne s'agit pas de cela. Ce sont des bottes de rêve.

Il s'étend sur son lit, et ferme les yeux. Le voilà parti, très loin. Il devient un immense marronnier aux fleurs dressées comme des petits candélabres crémeux. Il est suspendu dans l'immobilité du ciel bleu. Mais soudain, un souffle passe. Pierre mugit doucement. Ses milliers d'ailes vertes battent dans l'air. Ses branches oscillent en gestes bénisseurs. Un éventail de soleil s'ouvre et se ferme dans l'ombre glauque de sa frondaison. Il est immensément heureux. Un grand arbre…

ALPHONSE ALLAIS

*Conte de Noël**

Ce matin-là, il n'y eut qu'un cri dans tout le Paradis :

— Le bon Dieu est mal luné aujourd'hui. Malheur à celui qui contrarierait ses desseins !

L'impression générale était juste : le Créateur n'était pas à prendre avec des pincettes.

À l'archange qui vint se mettre à Sa disposition pour le service de la journée, Il répondit sèchement :

— Zut ! fichez-Moi la paix !

Puis, Il passa nerveusement Sa main dans Sa barbe blanche, S'affaissa — plutôt qu'Il ne S'assit — sur Son trône d'or, frappa la nue d'un pied rageur et S'écria :

— Ah ! J'en ai assez de tous ces humains ridicules et de leur sempiternel Noël, et de leurs sales gosses avec leurs sales godillots dans la cheminée. Cette année, ils auront… la peau !

* Extrait de *Deux et deux font cinq*.

Il fallait que le Père Éternel fût fort en colère pour employer cette triviale expression, Lui d'ordinaire si bien élevé.

— Envoyez-Moi le bonhomme Noël, tout de suite ! ajouta-t-Il.

Et comme personne ne bougeait :

— Eh bien ! vous autres, ajouta Dieu, qu'est-ce que vous attendez ? Vous, Paddy, vieux poivrot, allez Me quérir le bonhomme Noël !

(Celui que le Tout-Puissant appelle familièrement *Paddy* n'est autre que saint Patrick, le patron des Irlandais.)

Et l'on entendit à la cantonade :

— Allô ! *Santa Claus ! Come along, old chappie !*

Le bon Dieu redoubla de fureur :

— Ce pochard de Paddy se croit encore à Dublin, sans doute ! Il ne doit cependant pas ignorer que J'ai interdit l'usage de la langue anglaise dans tout le séjour des Bienheureux !

Le bonhomme Noël se présenta :

— Ah ! te voilà, toi !

— Mais oui, Seigneur !

— Eh bien ! tu Me feras le plaisir, cette nuit, de ne pas bouger du ciel…

— Cette nuit, Seigneur ? Mais Notre-Seigneur n'y pense pas !… C'est cette nuit… Noël !

— Précisément ! précisément ! fit Dieu en imitant, à s'y méprendre, l'accent de Raoul Ponchon.

— Et moi qui ai fait toutes mes petites provisions !…

— Le royaume des Cieux est assez riche pour n'être point à la merci même de ses plus vieux clients. Et puis… pour ce que ça nous rapporte !

— Le fait est !

— Ces gens-là n'ont même pas la reconnaissance du polichinelle… Je fais un pari qu'il y aura plus de monde, cette nuit, au *Chat Noir* qu'à Notre-Dame-de Lorette. Veux-tu parier ?

— Mon Dieu, Vous ne m'en voudrez pas, mais parier avec Vous, la Source de tous les Tuyaux, serait faire métier de dupe.

— Tu as raison, sourit le Seigneur.

— Alors, c'est sérieux ? insista le bonhomme Noël.

— Tout ce qu'il y a de plus sérieux. Tu feras porter tes provisions de joujoux aux enfants des Limbes. En voilà qui sont autrement intéressants que les fils des Hommes. Pauvres gosses !

Un visible mécontentement se peignait sur la physionomie des anges, des saints et autres habitants du céleste séjour.

Dieu s'en aperçut.

— Ah ! on se permet de ronchonner ! Eh bien ! mon petit père Noël, je vais corser Mon programme ! Tu vas descendre sur terre cette nuit, et non seulement tu ne leur ficheras rien dans leurs ripatons, mais encore tu leur barboteras lesdits ripatons, et Je me gaudis d'avance au spectacle de tous ces imbéciles contemplant demain matin leurs âtres veufs de chaussures.

— Mais… les pauvres ?… Les pauvres aussi ? Il me faudra enlever les pauvres petits souliers des pauvres petits pauvres ?

— Ah ! ne pleurniche pas, toi ! *Les pauvres petits pauvres !* Ah ! ils sont chouettes, les pauvres petits pauvres ! Voulez-vous savoir Mon avis sur les victimes de l'Humanité Terrestre ? Eh bien ! ils Me dégoûtent encore plus que les riches !… Quoi ! voilà des milliers et des milliers de robustes prolétaires qui, depuis des siècles, se laissent exploiter docilement par une minorité de fripouilles féodales, capitalistes ou pioupioutesques ! Et c'est à Moi qu'ils s'en prennent de leurs détresses ! Je vais vous le dire franchement : si J'avais été le petit Henry, ce n'est pas au café Terminus que J'aurais jeté Ma bombe, mais chez un mastroquet du faubourg Antoine !

Dans un coin, saint Louis et sainte Élisabeth de Hongrie se regardaient, atterrés de ces propos :

— Et penser, remarqua saint Louis, qu'il n'y a pas deux mille ans, Il disait : *Obéissez aux Rois de la terre !* Où allons-nous, grand Dieu ! où allons-nous ? Le voilà qui tourne à l'anarchie !

Le Grand Architecte de l'Univers avait parlé d'un ton si sec que le bonhomme Noël se le tint pour dit.

Dans la nuit qui suivit, il visita toutes les cheminées du globe et recueillit soigneusement les petites chaussures qui les garnissaient.

Vous pensez bien qu'il ne songea même pas à remonter au ciel cette vertigineuse collection. Il la céda, pour une petite somme destinée à grossir le denier de Saint-Pierre, à des messieurs fort aimables, et voilà comment a pu s'ouvrir, hier, à des prix qui défient toute concurrence, 739 rue du Temple, la splendide maison :

AU BONHOMME NOËL

Spécialité de chaussures d'occasion en tous genres pour bébés, garçonnets et fillettes.

Nous engageons vivement nos lecteurs à visiter ces vastes magasins, dont les intelligents directeurs, MM. Meyer et Lévy, ont su faire une des attractions de Paris.

DES RÉVEILLONS INATTENDUS...

DES NOËLS DE RÊVE...

A. ALLAIS *Conte de Noël*

Texte extrait de *Deux et deux font cinq.*

H. C. ANDERSEN *La Petite Fille aux allumettes*

Traduit du danois par Régis Boyer
Texte extrait de *Contes* (Folio classique n° 2599)

H. DE BALZAC *La Fascination*

Édition établie par Isabelle Tournier
Texte extrait de *Les Deux Rencontres* dans *Nouvelles et contes*, I (Quarto)

A. DAUDET *Un réveillon dans le Marais*

Édition établie par Roger Ripoll
Texte extrait de *Contes du lundi* (*Œuvres*, I, Bibliothèque de la Pléiade)

C. DICKENS *Noël quand nous prenons de l'âge*

Traduit de l'anglais par Sylvère Monod
Texte extrait de *La Maison d'Âpre-Vent. Récits pour Noël et autres* (Bibliothèque de la Pléiade)

F. DOSTOÏEVSKI *Un arbre de Noël et un mariage*

Traduit du russe par Gustave Aucouturier
Texte extrait de *Récits, chroniques et polémiques* (Bibliothèque de la Pléiade)

T. GAUTIER *Noël*

Texte extrait d'*Émaux et camées* (Poésie/Gallimard)

J. GIONO *Les santons*

Texte extrait de *Provence* (Folio n° 2721)

J. KESSEL *Le Réveillon du colonel Jerkof*

Texte extrait de *Contes* (Folio n° 3562)

G. DE MAUPASSANT *Nuit de Noël*

Texte extrait de *Mademoiselle Fifi et autres nouvelles* (Folio classique n° 945)

L. PIRANDELLO *Noël sur le Rhin*

Traduit de l'italien par Georges Piroué et Henriette Valot
Texte extrait de *Nouvelles complètes* (Quarto)

M. TOURNIER *La fugue du petit Poucet*

Texte extrait de *Le Coq de bruyère* (Folio n° 1229)

Composition Nord Compo
Impression Novoprint
à Barcelone, le 20 octobre 2010
Dépôt légal : octobre 2010

ISBN 978-2-07-043803-7./Imprimé en Espagne.

174485